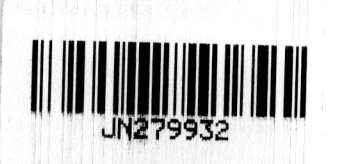

つくろう！　あそぼう！

5～7才《さい》の
おりがみ

小林一夫 著
内閣府認証NPO法人
国際おりがみ協会理事長

みんなで
選《えら》んだ
おりがみ
大《だい》集《しゅう》合《ごう》！

高橋書店

保護者の方へ

本書は、5才〜7才ごろの子どもを対象にアンケートをとり、人気のあった作品を元に、約80点のおりがみを紹介しています。

近年、子どもの脳の発達に関する研究に、注目が集まっています。これによれば、指を動かすという動作は創造性やひらめきの脳細胞につながっており、おりがみのように指を活発に動かす遊びは、脳を刺激し、鍛え、育てるきっかけになるのだそうです。

特に、5才〜7才といえば、体も心も大きく成長する時期。5才くらいまでは右脳で直感的にとらえていたものを、7才くらいからは左脳で論理的にとらえるようになりますし、知的好奇心が芽生えてくるのもこのころです。

多少難しい作品でも、おりかたを調べたり、考えたりしながら、独りでも完成させられるようになり、おっているうちに、自然に理解力や想像力、記憶力がどんどん育まれていきます。また次第に、大人のまねをして作るだけでなく、言葉のはたしている役割を学び、本を読み、説明を聞いて作ることもできるようになります。

そうやって苦心して作り上げた作品は、新しいものを作るチャレンジへの原動力にもつながります。

作る喜びを分かち合えることも、おりがみならではの素晴らしさです。友達といっしょにおったり、見せ合ったり、遊んだりする機会をなるべく多く作ってあげてください。そうすることで、おりがみの楽しさがいっそう広がっていくことでしょう。

小林 一夫

- 本書は、折り図を見やすくするために作図写真を二色両面おりがみで撮影していますが、すべての作品は一般的な教育おりがみで作ることができます。
- 作品は、一般的な15センチメートル四方のおりがみで作っていますが、特にこの大きさでなければ作れないわけではありません。いろいろな大きさのおりがみで作ってみてください。
- はさみやカッターを使う作品も掲載されています。はさみやカッターを使う場合は、そばについて充分に注意してあげましょう。

もくじ

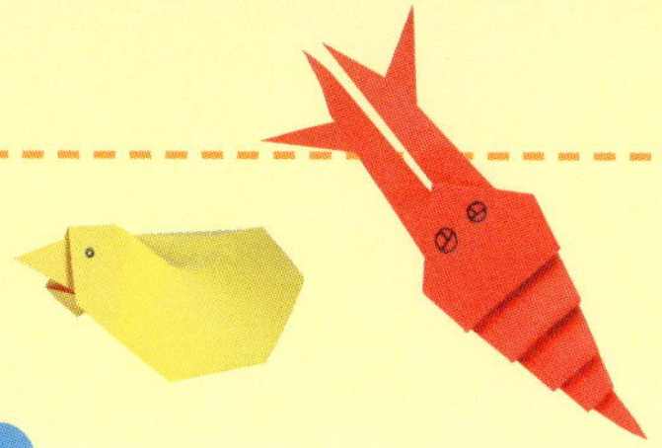

にんきのおりがみ 1ばん

かわいいアクセサリー

●みにつけたり、かざったり
ともだちにじまんしちゃおう

みんなでえらんだ おりがみ
だいしゅうごう！

たくさんの子どもたちに、自分の好きなおりがみを選んでもらいました。人気のあった作品の１番から４番までを大公開します

ハートのゆびわ→28ページ
ゆびわ→30ページ
ハンドバッグ
→34ページ
リボン
→5ページ
うでどけい
→32ページ

かみや　おようふくに　つけてみよう

リボン

ふつう

● はんぶんにきったおりがみで
つくります

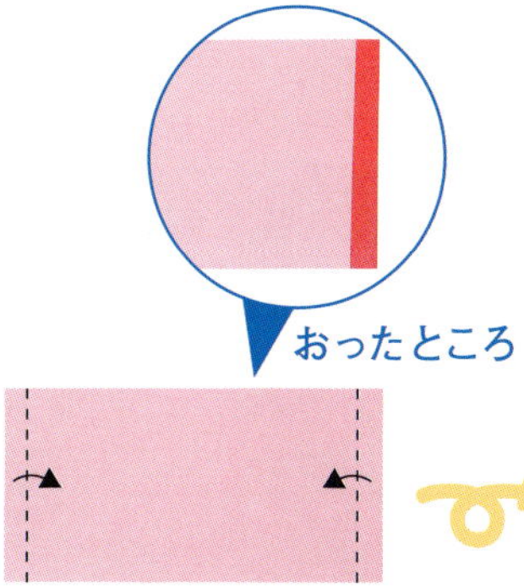
おったところ

1
てんせんのところでおる

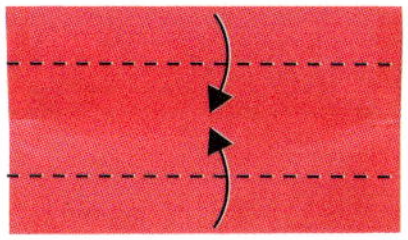

2
まんなかまでおる

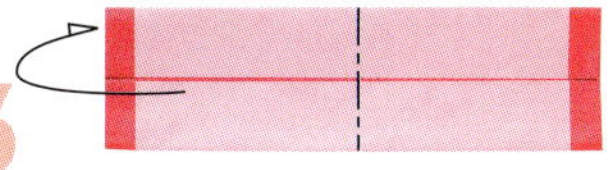

3
はんぶんにやまおりする

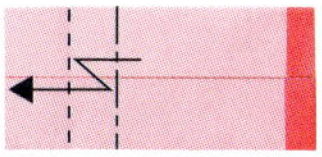

4
だんおりする。うらも
おなじようにおる

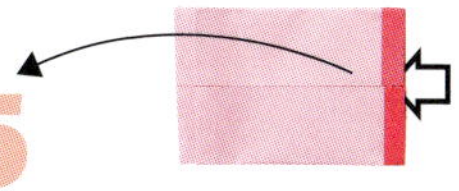

5
まんなかからひらく

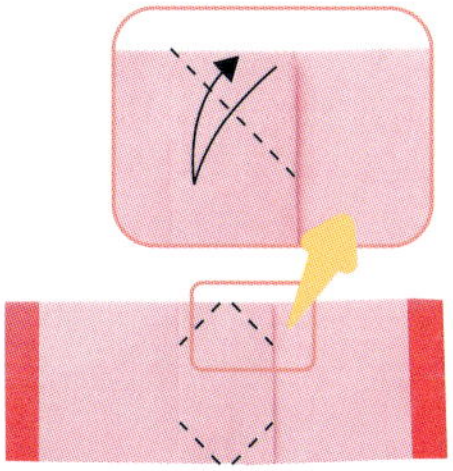

6
まんなかのかどをうちがわ
におって、もどす

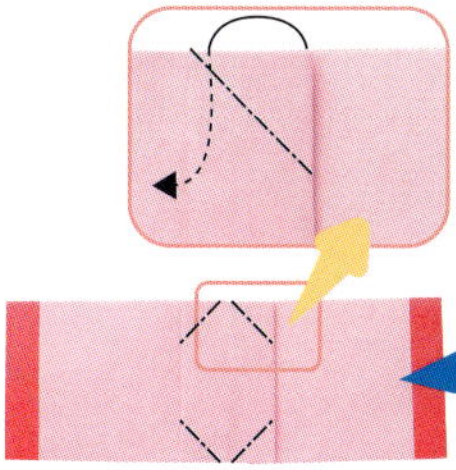

7
おりせんにそって、
なかわりおりする

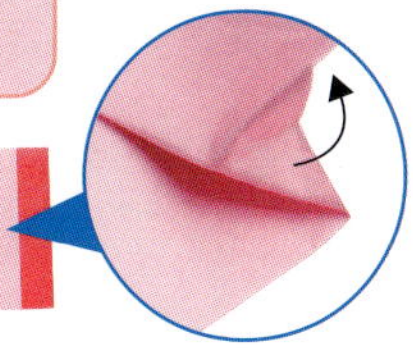

なかわりおり
しているところ

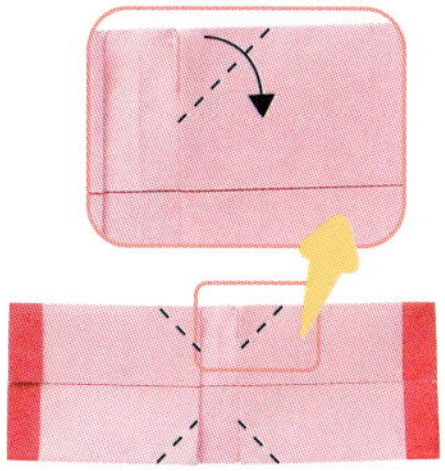

8
てんせんのところで
おる

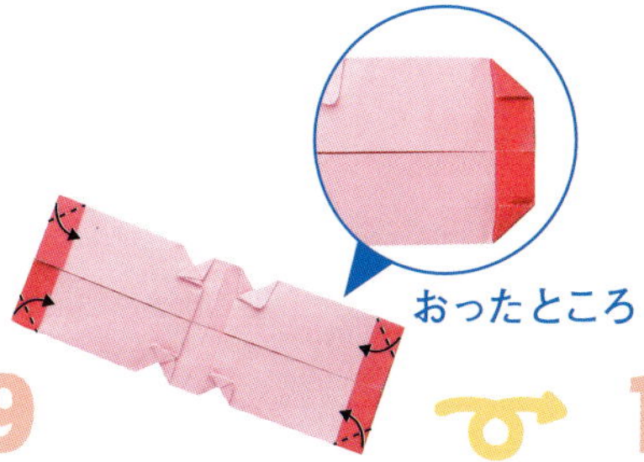
おったところ

9
てんせんのところでおる

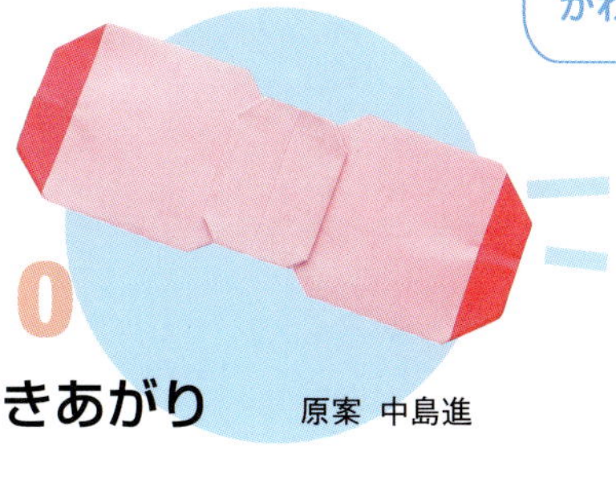

10
できあがり

原案　中島進

どう？
かわいいでしょ！

たのしいおもちゃ

●いっぱいつくって
みんなであそぼう

ふーふーきつね
→22ページ

ぴょんぴょんかえる
→16ページ

ふきごま
→7ページ

かみでっぽう
→18ページ

くるくるまわる カラフルおもちゃだよ

ふきごま

かんたん

2まいのかみで

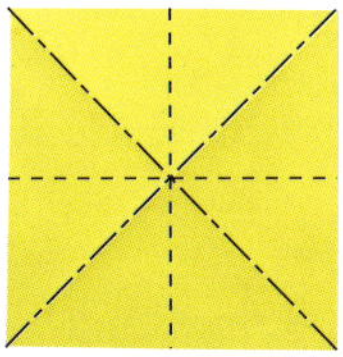

1

たて、よこ、ななめにおりせんをつける

2

まんなかまでおる

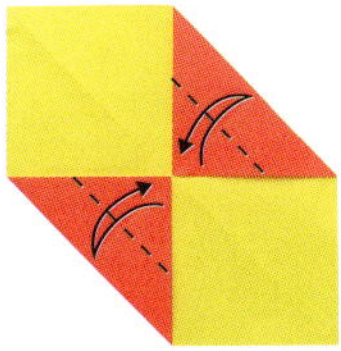

3

上《うえ》の三《さん》かくをはんぶんにおって、もどす

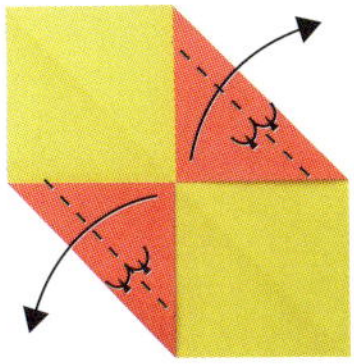

4

てんせんのところでおる

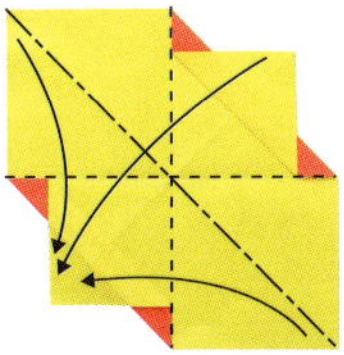

5

おりせんにそってたたむ

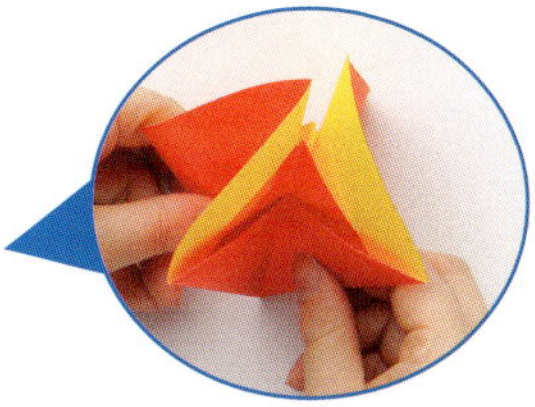

たたんでいるところ

6

おったところ

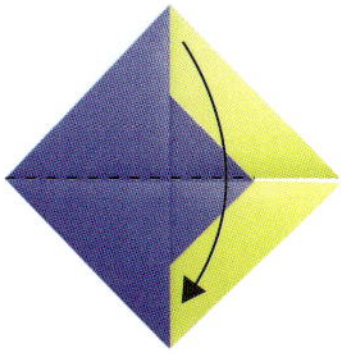

7

もうひとつつくり、上《うえ》の1まいを下《した》におる。うらもおなじようにおる

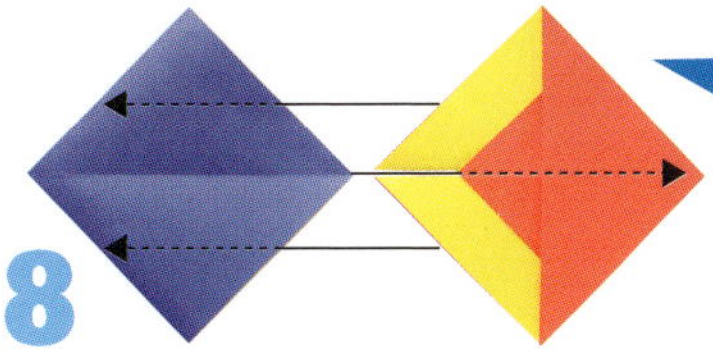

8

6と7をくみあわせる

さしこんでいるところ

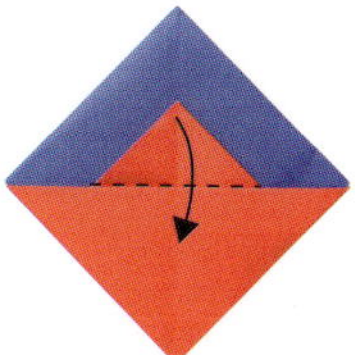

9

まんなかの三《さん》かくをおる。ほかの3かしょも、おなじようにおる

10

できあがり

こんなふうにもって、いきをふくんだ!

かっこいい のりもの

のりものにのって
とおくのくにまでいけるかな？

ひこうき
→74ページ

ロケット
→76ページ

でんしゃ→70ページ

ボート→68ページ

ふね
→9 ページ

“そこ”の つぶしかたが ポイントだよ

ふね

ふつう

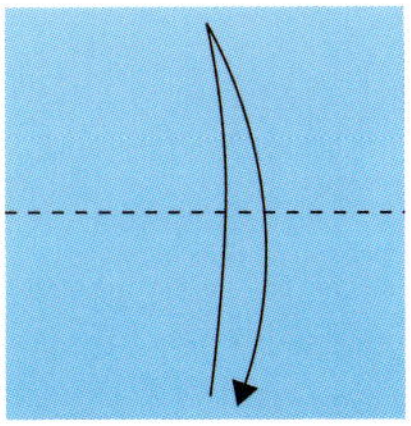

1
はんぶんにおって、もどす

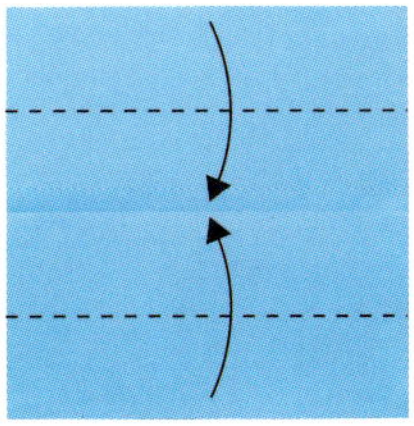

2
まんなかまでおる

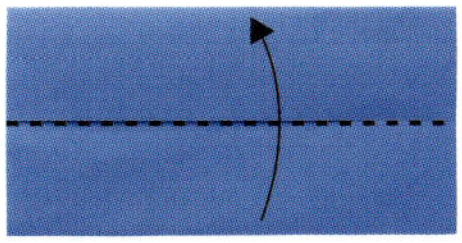

3
はんぶんにおる

4
下《した》がわのはしを、ななめにおる

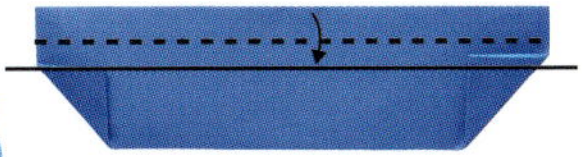

5
ふといせんにあわせて、
上《うえ》の1まいをおる

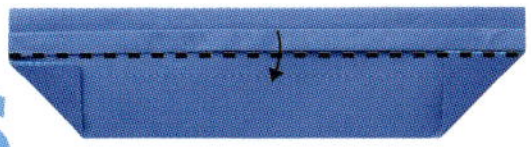

6
5でおったところをもう
いちど、まくようにおる

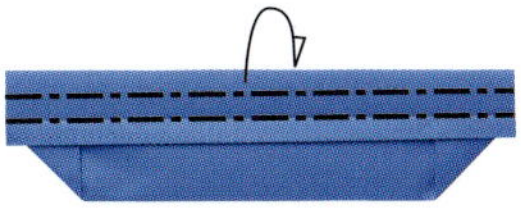

7
うらもおなじようにおる

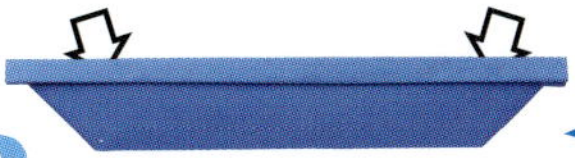

8
ゆびをいれて、ひろげる

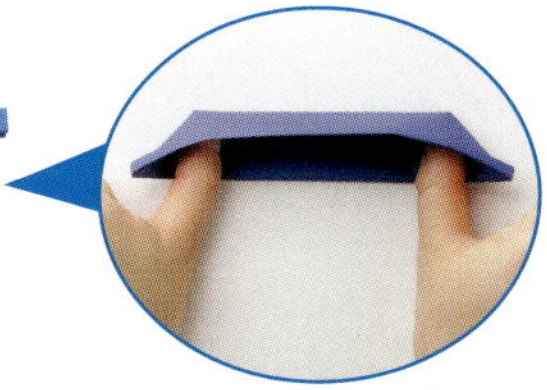
ゆびをそこにあてて、
りょうはしをつぶす

9
そこを上《うえ》にむけて、てん
せんのぶぶんをおって、
たいらにする

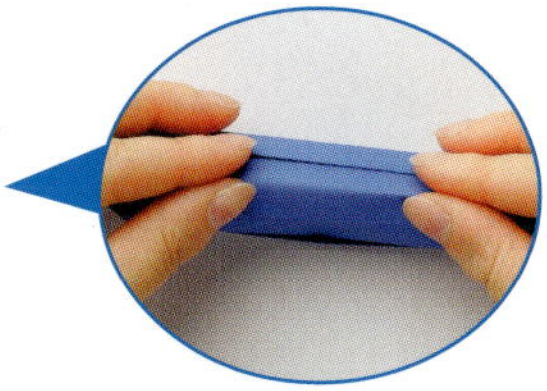
おっている
ところ

10
できあがり

きれいな おはな

●たくさんおって、おはなばたけをつくろう!

はなと はっぱを くみあわせるよ

チューリップ

ふつう

はな

●はんぶんにきったおりがみでつくります

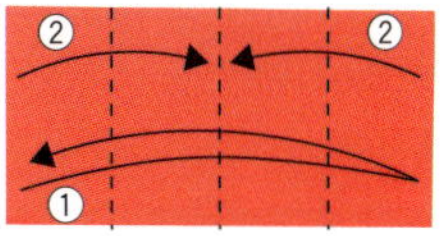

1 ①、②のじゅんばんでおる

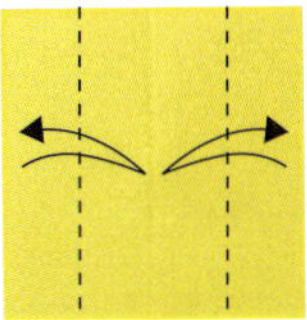

2 まんなかまでおって、もどす

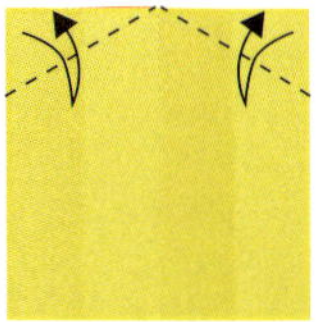

3 かどが2のおりせんにあわさるようにおって、もどす

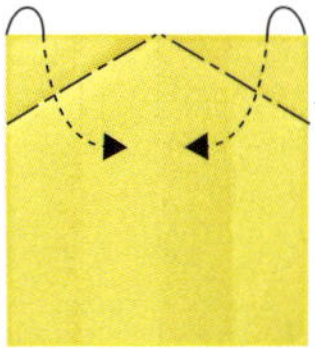

4 おりせんにそってなかわりおりする

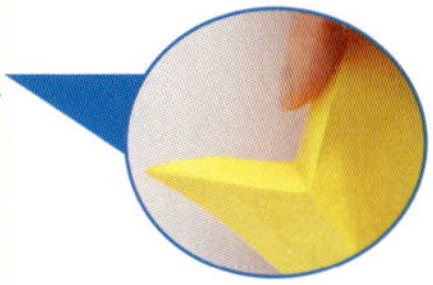

おっているところ

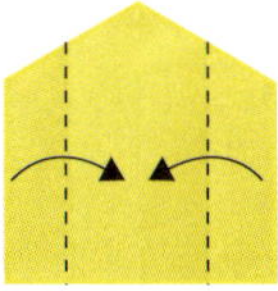

5 おりすじにそって、うしろのかみごとおりかえす

おっているところ

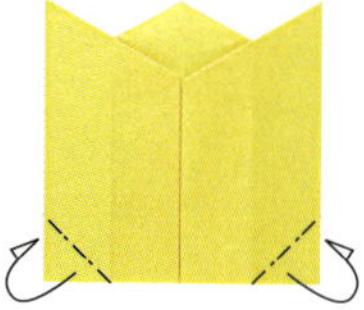

6 やまおりして、かどをうしろにたたむ

7 はなのできあがり

はっぱ

●ななめに、はんぶんにきったおりがみでつくります

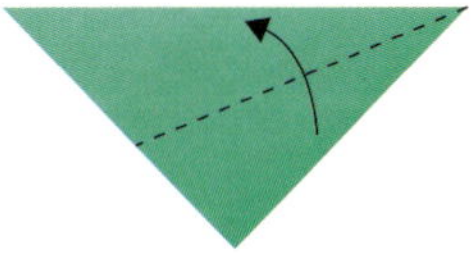

1 はんぶんにおる

2 てんせんのところでおって、もどす

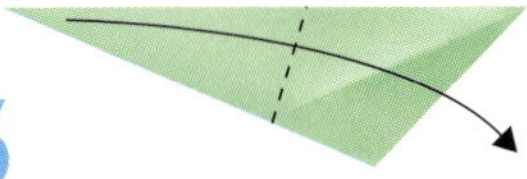

3 てんせんのところでおる

4 はっぱのできあがり

はなとはっぱをつなげて

できあがり

きほんのおりかた

この本《ほん》にでてくるおりかたのきごうだよ。
おりかたがわからなくなったら
ここを見《み》てね！

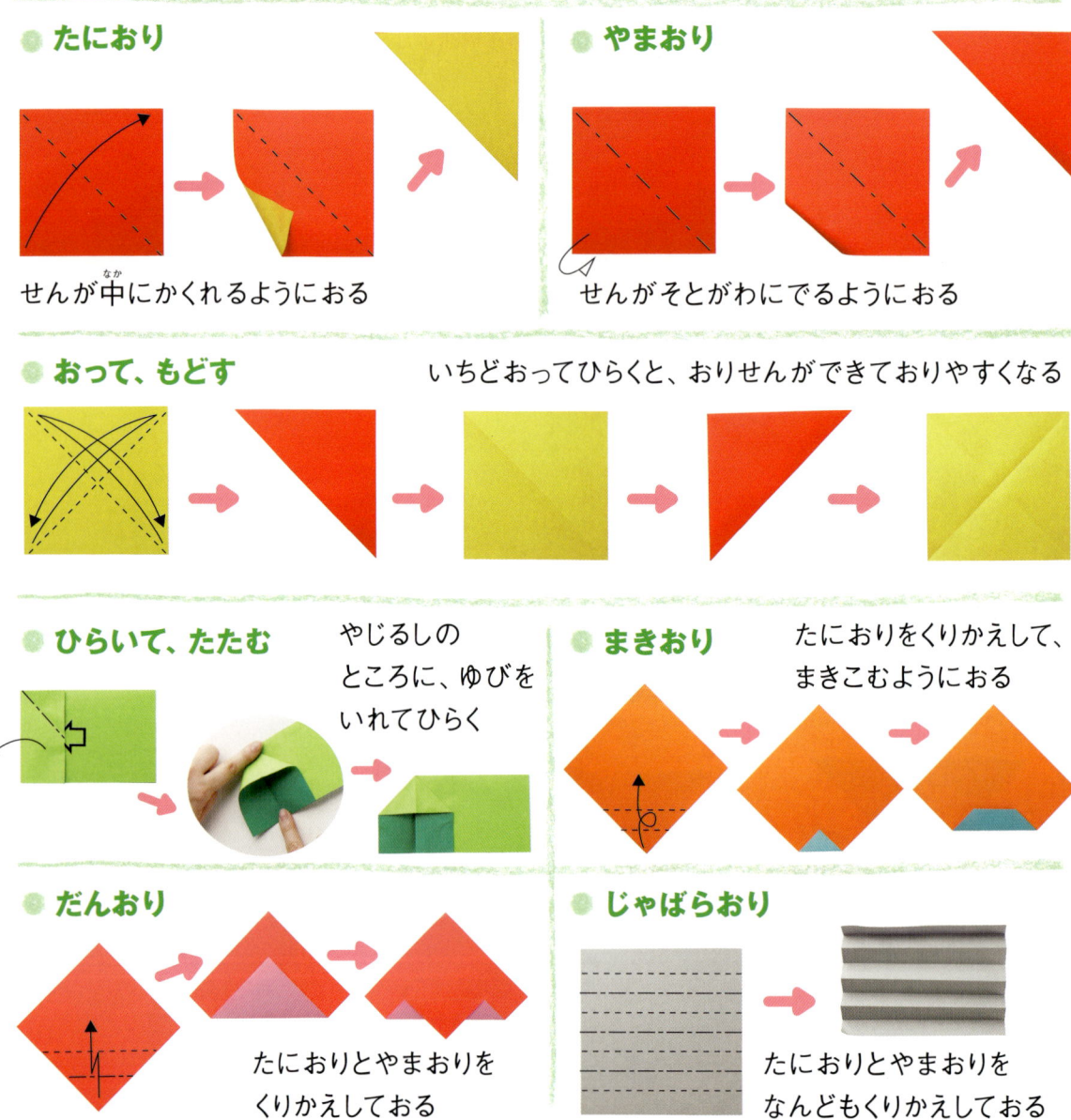

たにおり

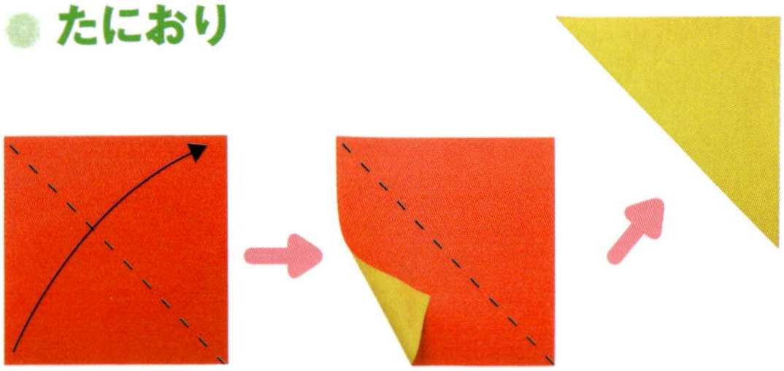

せんが中《なか》にかくれるようにおる

やまおり

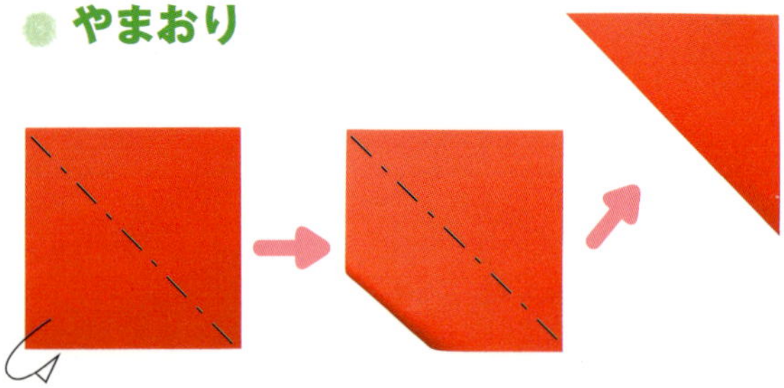

せんがそとがわにでるようにおる

おって、もどす

いちどおってひらくと、おりせんができておりやすくなる

ひらいて、たたむ

やじるしの
ところに、ゆびを
いれてひらく

まきおり

たにおりをくりかえして、
まきこむようにおる

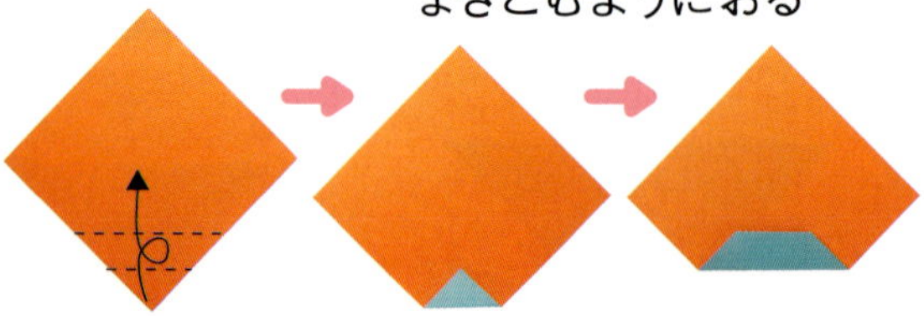

だんおり

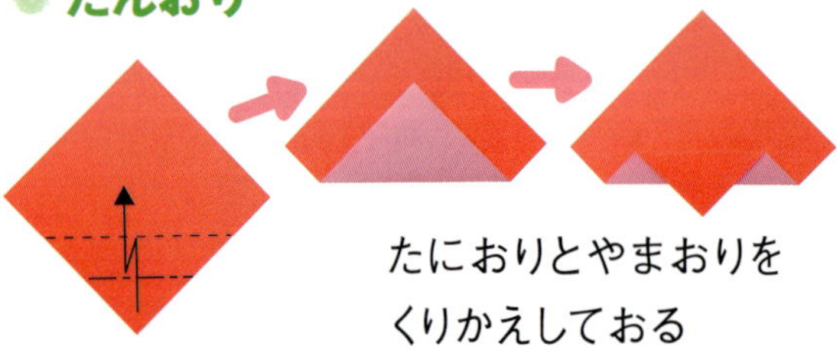

たにおりとやまおりを
くりかえしておる

じゃばらおり

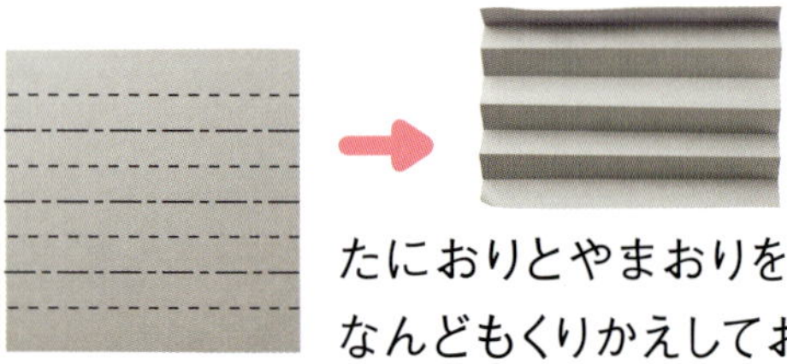

たにおりとやまおりを
なんどもくりかえしておる

なかわりおり

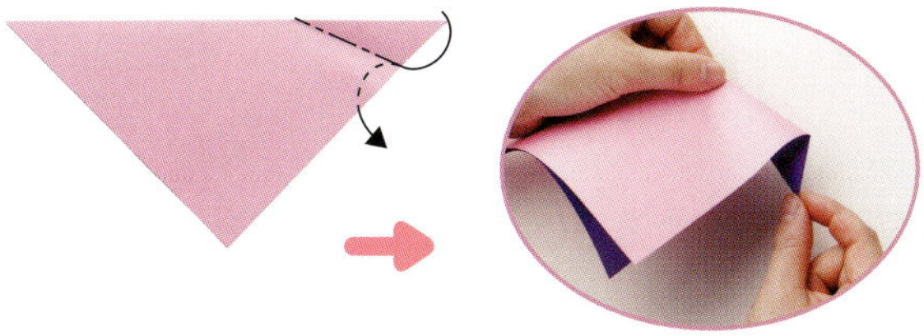

あいだをひろげて、
ゆびで中《なか》に
おしこむ

かぶせおり

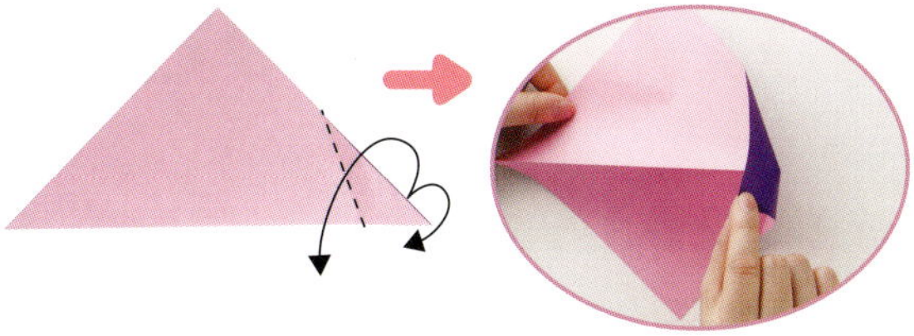

そとがわにひろげて、
かぶせるようにおる

きほんのかたち

**いろんなおりがみでつかえるので
おぼえておくとべんりだよ**

四《し》かくおり のつくりかた

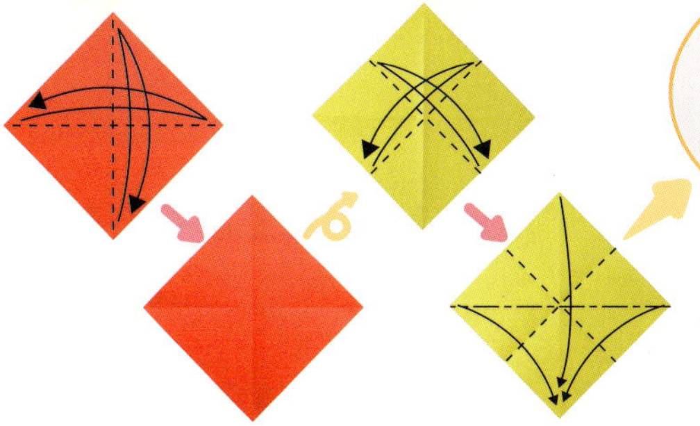

おりせんをつかって、
ゆびでたたむ

ハンドバッグ（34ページ）
などをつくるときに
つかうよ

三《さん》かくおり のつくりかた

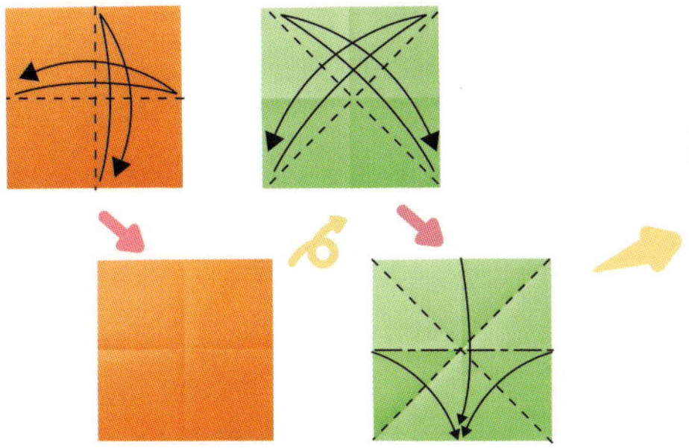

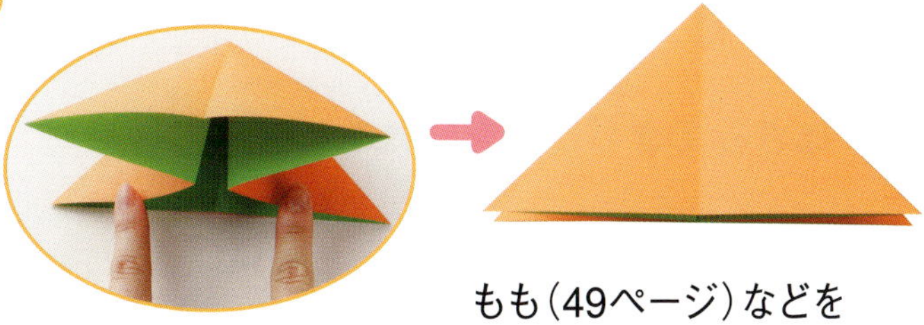

おりせんをつかって、
ゆびでたたむ

もも（49ページ）などを
つくるときに
つかうよ

おりかたのきごう

本《ほん》の中《なか》でつかっている
きごうだよ

むきをかえる

うらがえす

大《おお》きくしてせつめい

おなじながさにする

かみの中《なか》にさしこむ

いきをいれてふくらませる

はさみできりこみをいれる

しっておこう！ かみには、たてとよこがある

たれさがるのが **たて** だよ

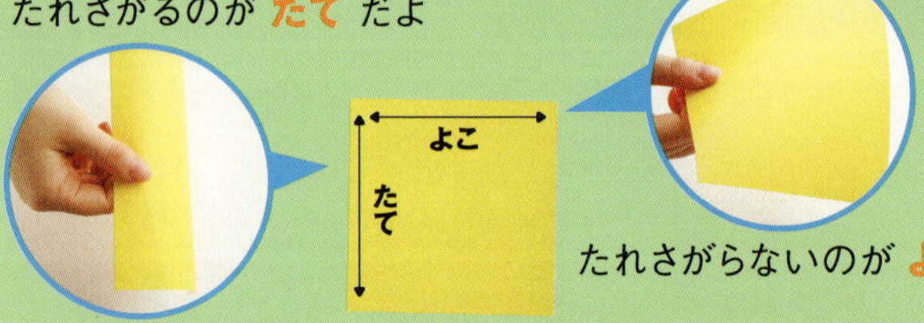

たれさがらないのが **よこ**

たてのむきにそって、かみをきるときれいにきれるよ

1
しょう

たのしい！

おりがみ おもちゃ

あそべるおりがみを あつめたよ
みんなで ゲームをしよう

つくって とばして あそんでみよう

ぴょんぴょん かえる

ふつう

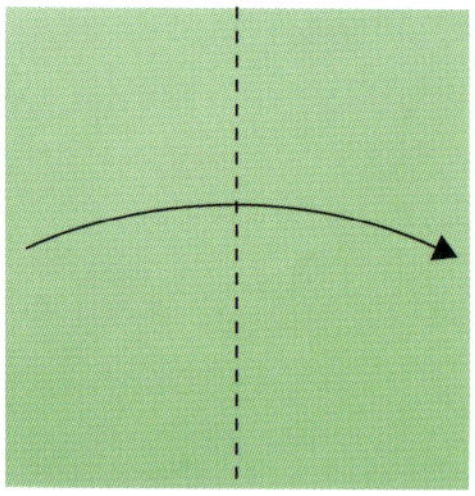

1

はんぶんにおる

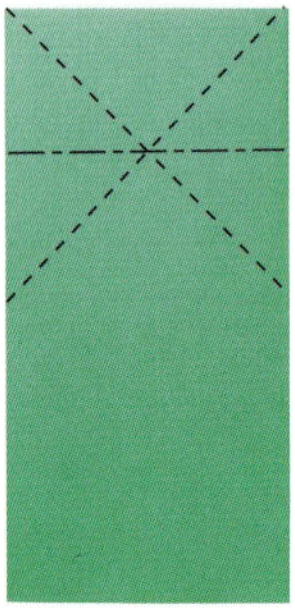

2

ななめとよこにおりせんをつける

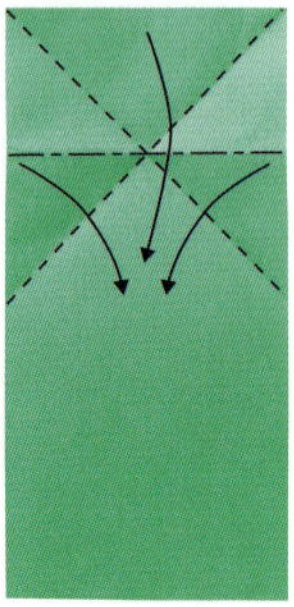

3

2のおりせんをつかって、「三《さん》かくおり（13ページ）」をつくる

おっているところ

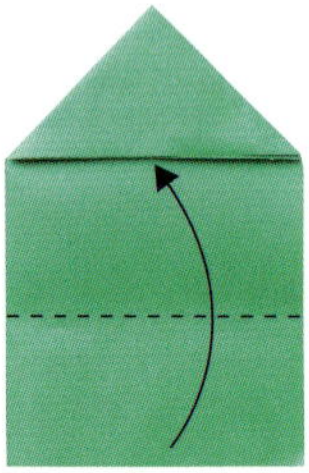

4

てんせんのところでおる

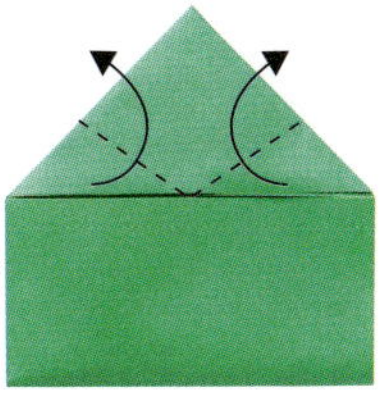

5

三《さん》かくけいのはしをおる

6

りょうがわを**5**でおった
ところの下《した》におりこむ

おりこんでいる
ところ

7

てんせんのところでおる

8

すこしそとにはみだす
ように、おる

9

おったところ

うらがえしたとき、
うしろ足《あし》が上《うえ》から
見《み》えるようにおる

10

めをかいて
できあがり

★あそびかた★

しゃしんのように、おしりをゆびでおさえて、
はなしてみよう。
ぴょーんと、とんでいくよ!

すごくよくはねるね!
どこまでとばせるか
きょうそうしよう!

びっくり! 大《おお》きなおとが するぞ

かみでっぽう

かんたん

● しんぶんしやチラシ、コピーようしなど大《おお》きめの、ちょうほうけいのかみでつくります

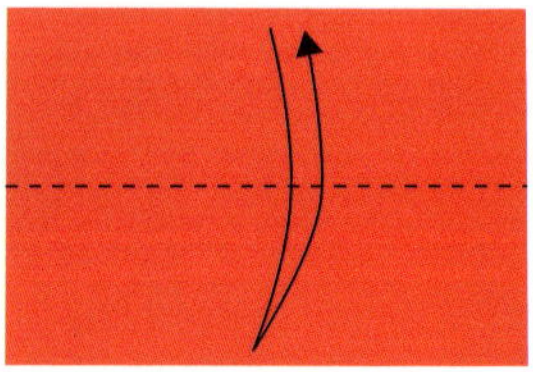

1

はんぶんにおって、もどす

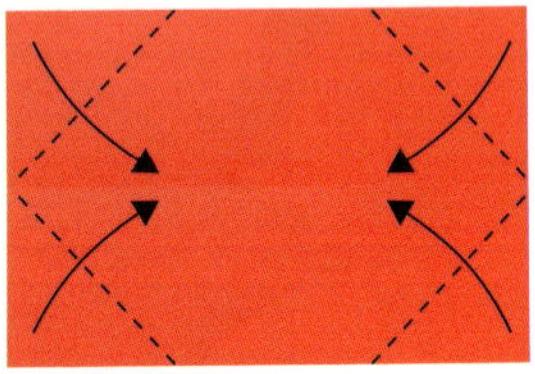

2

四《よっ》つのかどを、それぞれまんなかまでおる

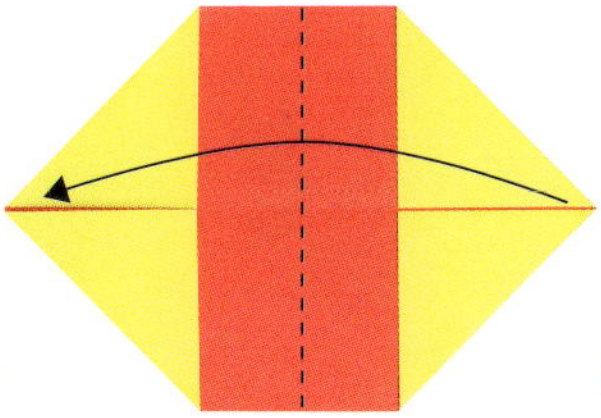

3

はんぶんにおる

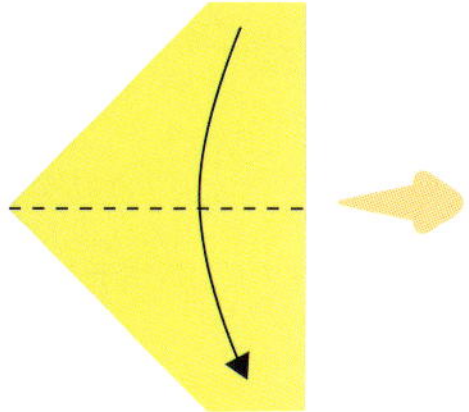

4

はんぶんにおる

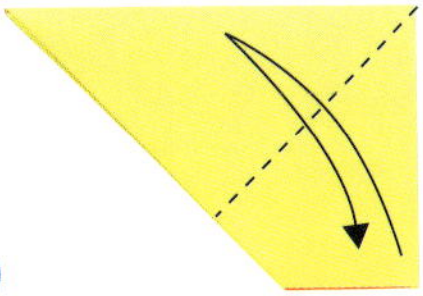

5

上《うえ》のかみをななめにおって、もどす

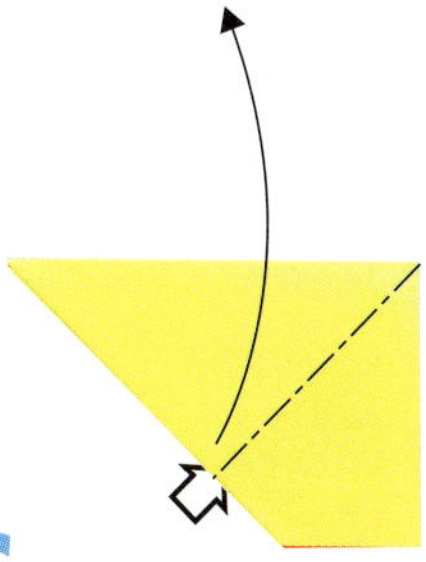

6

おりせんにそってひらく。うらもおなじようにひらく

ひらいているところ

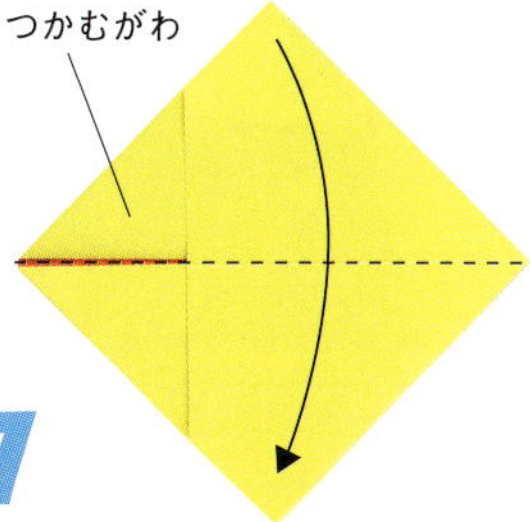

7

はんぶんにおる。うらもおなじようにおる

8

できあがり

★あそびかた★

やじるしのところをつまんで、いきおいよくふりおろそう。
ふくろがひらいて、パンと、大《おお》きなおとがなるよ！

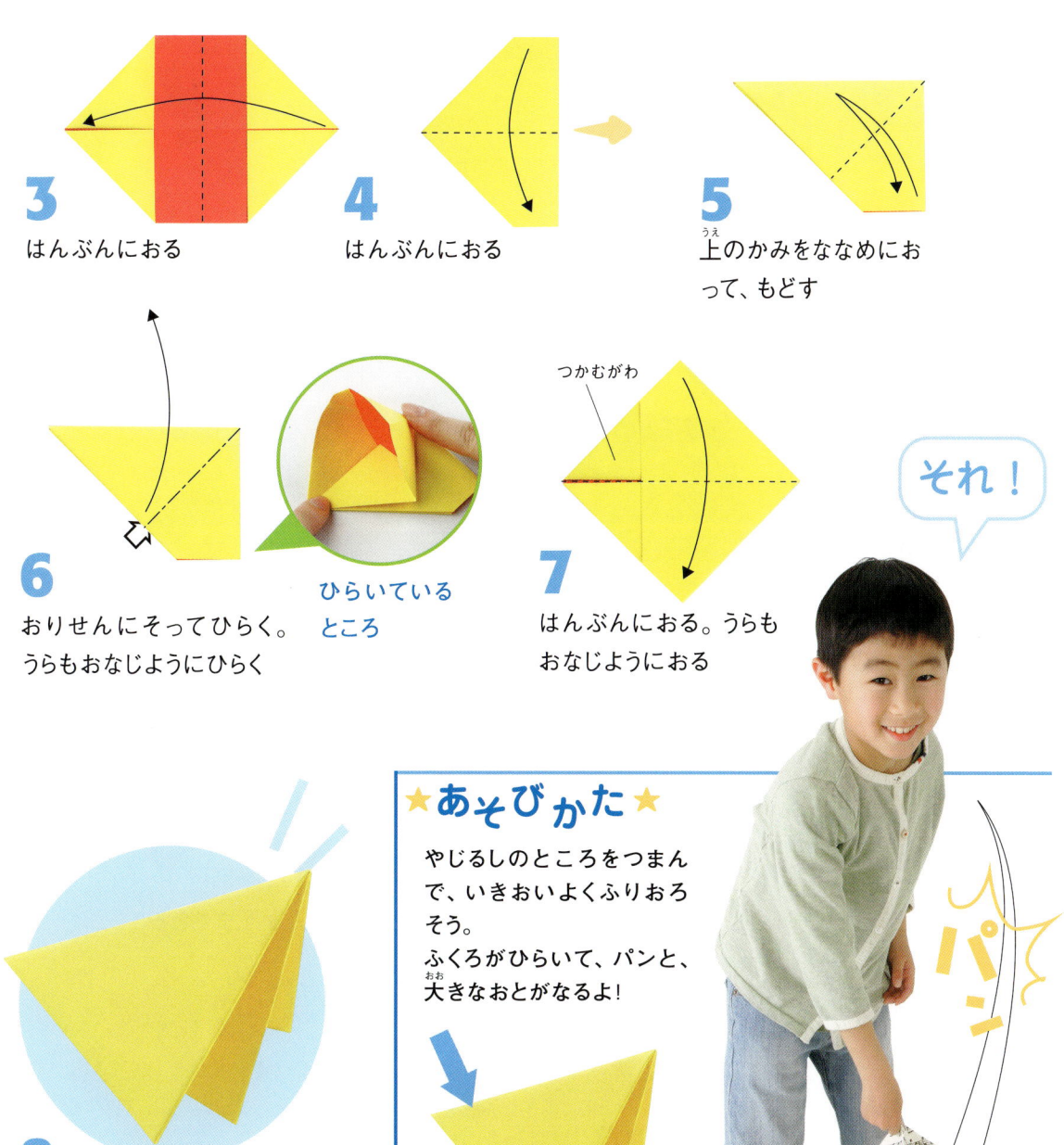

大《おお》きなかみで つくれば かぶれるよ

かぶと

かんたん

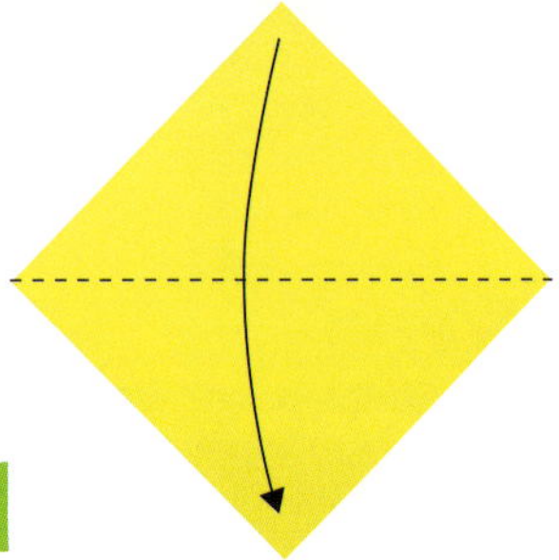

1

はんぶんにおる

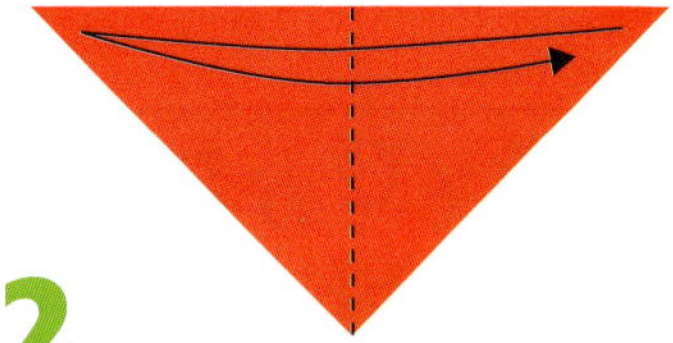

2

はんぶんにおって、もどす

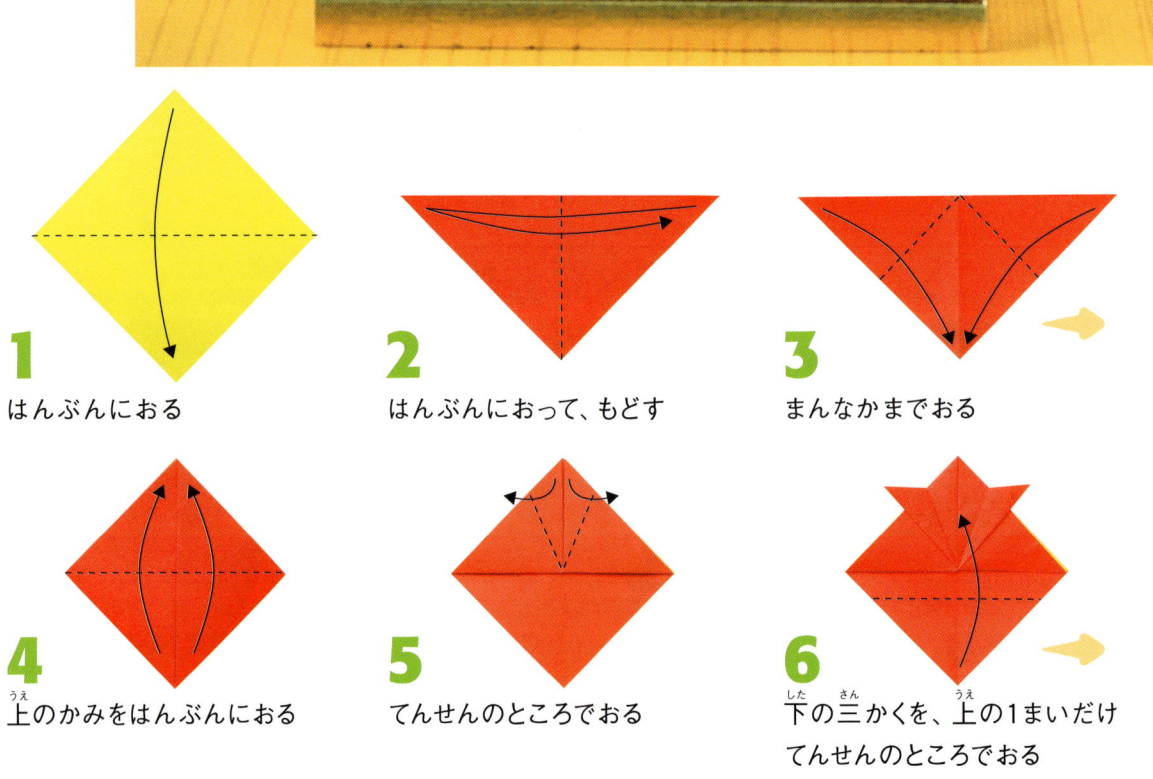

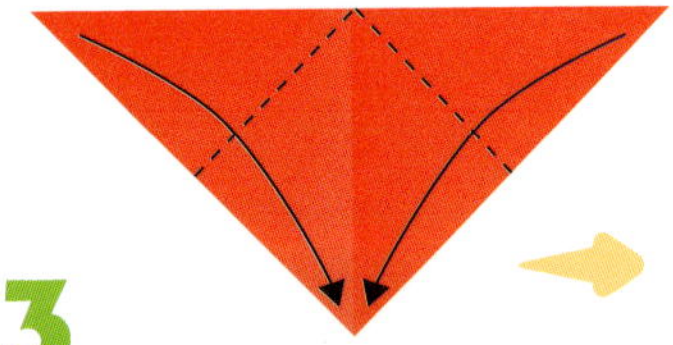

3

まんなかまでおる

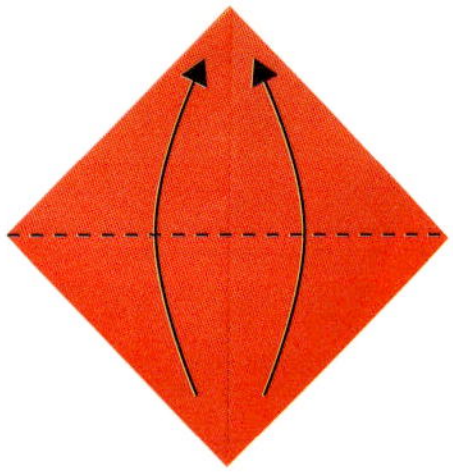

4

上《うえ》のかみをはんぶんにおる

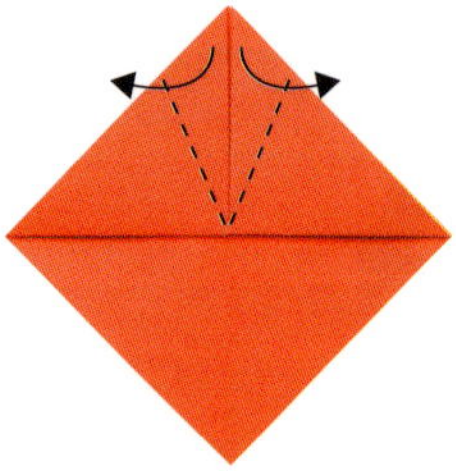

5

てんせんのところでおる

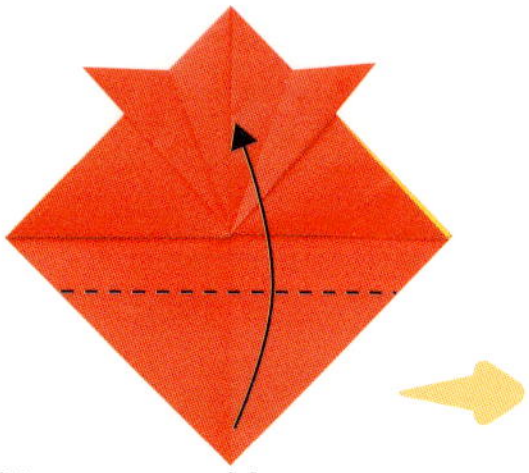

6

下《した》の三《さん》かくを、上《うえ》の1まいだけ
てんせんのところでおる

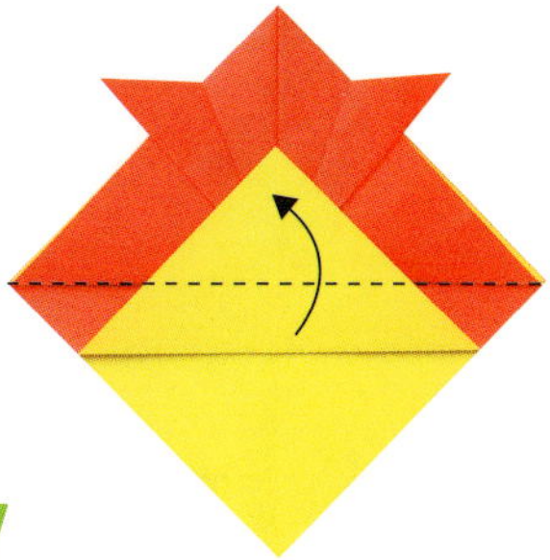

7

てんせんのところでおる

8

下《した》の三《さん》かくを、やまおりする

9

できあがり

へんしん

◆きんぎょ◆ かぶとの9からはじめるよ

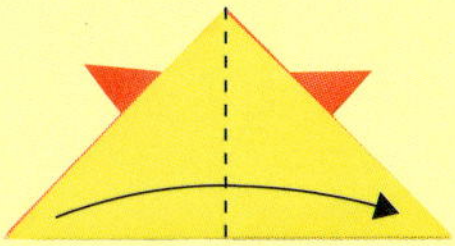

1

9をうらがえして、はんぶんにおる

2

せんのところを、はさみできる

3

ひらいて、1のかたちにもどす

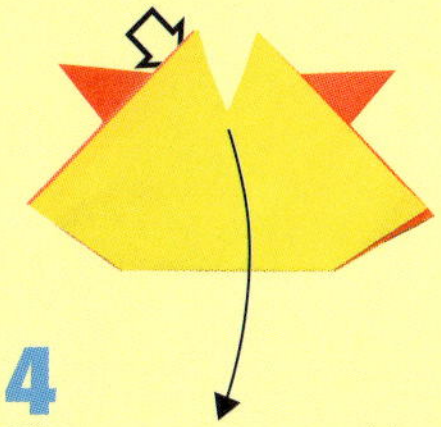

4

上《うえ》の1まいを、下《した》におる

5

おったところ

6

ゆびをいれてひらき、たたむ

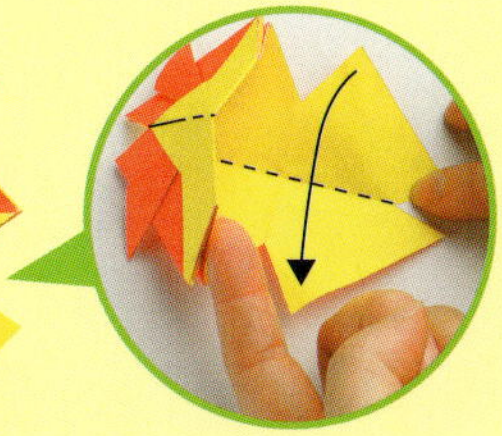

たたんでいるところ

7

めをかいて

できあがり

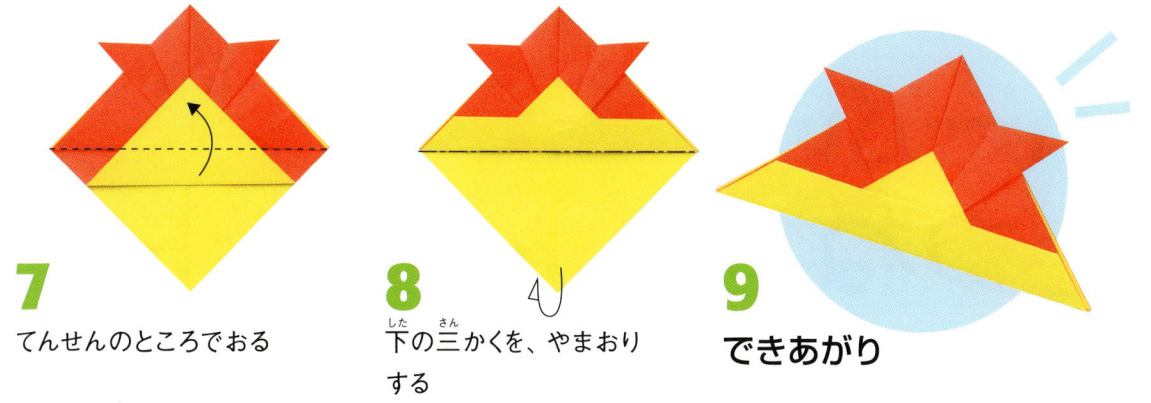

ふーっと いきをふくと うごきだすよ！

ふーふー きつね

※写真は15×10センチメートルの紙で作っています。

かんたん

● ちょうほうけいの かみでつくります

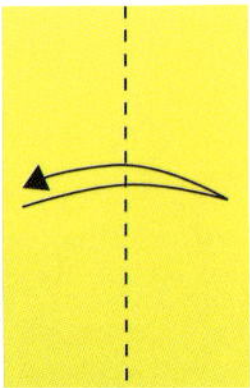

1
はんぶんにおって、もどす

2
まんなかまでおる

3
てんせんのところでおる

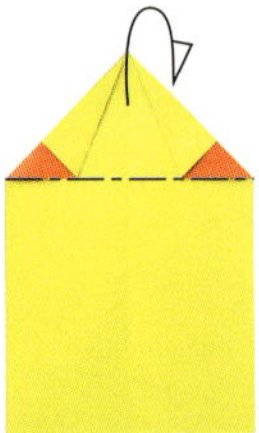

4
三《さん》かくけいをやまおりする

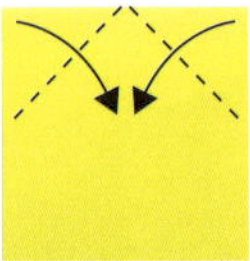

5
まんなかまでおる

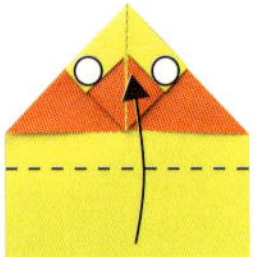

6
○の下《した》にさしこむようにおる

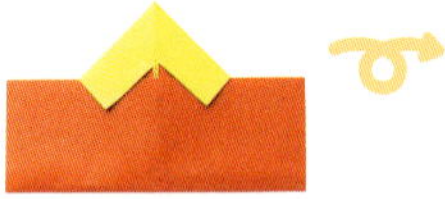

7
おったところ

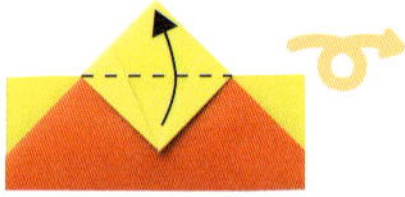

8
三《さん》かくけいにおる

9
ひらいて、たたせる

たたせているところ

10
めをかいて
できあがり

★あそびかた★

うしろからいきをふくと、まえにすすむよ！

くるくるまわりながら　おちてくるよ

くるくる ヘリコプター

かんたん

● ほそながいかみでつくります

※写真は2.5×15センチメートルの紙で作っています。

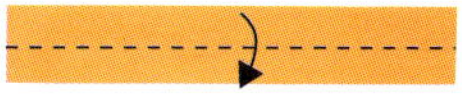

1 はんぶんにおる

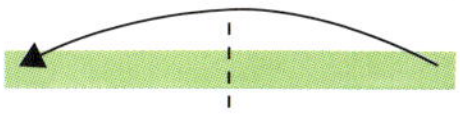

2 はんぶんにおる

3 かどを三《さん》かくけいにおる

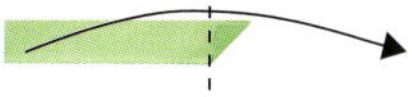

4 上《うえ》の1まいだけ、三《さん》かくけいにあわせておる

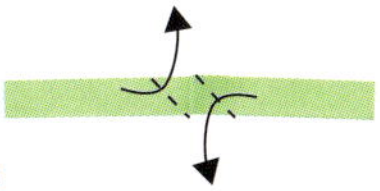

5 てんせんのところでおる

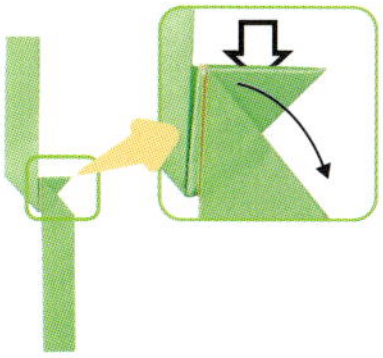

6 3の三《さん》かくけいをひらく

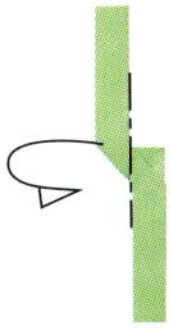

7 はんぶんにやまおりする

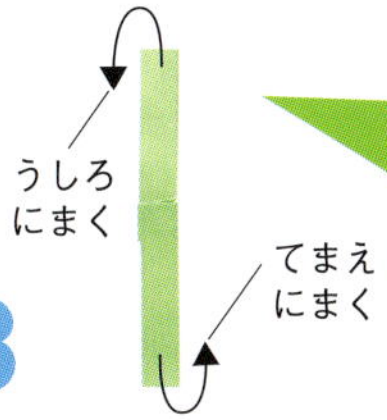

8 えんぴつなどで、さきをまるめる

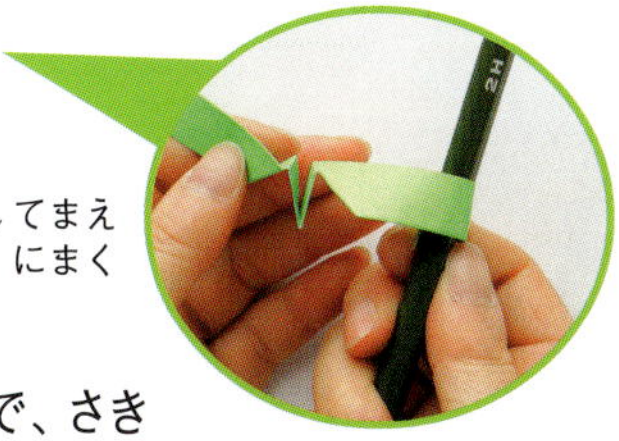

まるめているところ

9 できあがり

★あそびかた★

まんなかをつまんで、たかいところからおとしてみよう。くるくるまわりながらおちていくよ！

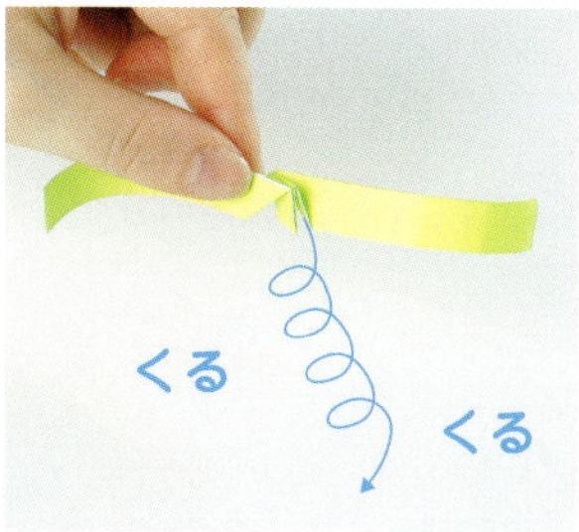

みんなで あそぼう!

おりがみでゲーム!

1しょうでつくったおりがみをつかって、
みんなでゲームをしてみよう!

GAME 1
ゲーム

かえるの ジャンプきょうそう

あそべるにんずう ▶ 2〜5人《にん》

16ページの「ぴょんぴょんかえる」をつかったゲームだよ!

だれがいちばんとばせるか、きょうそうだ!

あそびかた

がようしをつかって、
きょうぎじょうをつくるよ！

1. じぶんのかえる（16ページ）をつくる
2. がようしを2まいつかって、右《みぎ》のずのような
きょうぎじょうをつくる
3. Ⓐのせんから、かえるをとばす
4. かえるがなんてんのせんをこえたかしらべて、
てんすうをきろくする

Ⓑまでとんだら1てん、Ⓒまでとんだら5てんだよ

5. 3〜5かいくらいとばして、てんすうのいちばん
たかかった人《ひと》がかち！

きょうぎじょう

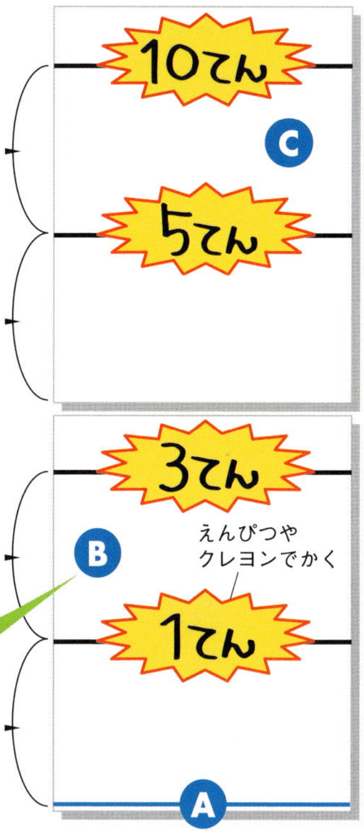

てんすうのきろくのしかた

	1かいめ	2かいめ	3かいめ	ごうけい
あきひろ	1てん	3てん	5てん	9てん
みき	3てん	0てん	10てん	13てん
あやか	1てん	1てん	3てん	5てん

GAME 2 ゲーム

ひらひらキャッチ

あそべるにんずう▶ 3～4人《にん》

23ページの
「くるくるヘリコプター」
をつかったあそびだよ

あそびかた

ヘリコプターをうまく
つかまえられるかな？

1 くるくるヘリコプター（23ページ）をつくる

2 おとす人《ひと》をひとりきめて、のこりの人《ひと》は下《した》の「つくりかた」を見《み》て、じぶんのキャッチャーをつくる

3 ひざをついてすわって、上《うえ》からヘリコプターをおとしてもらう

4 ヘリコプターをうまくキャッチした人《ひと》がかち！

なるべくたかいところから
おとすと、もりあがるよ！

ひざをうかせたら、まけだよ

キャッチャーのつくりかた

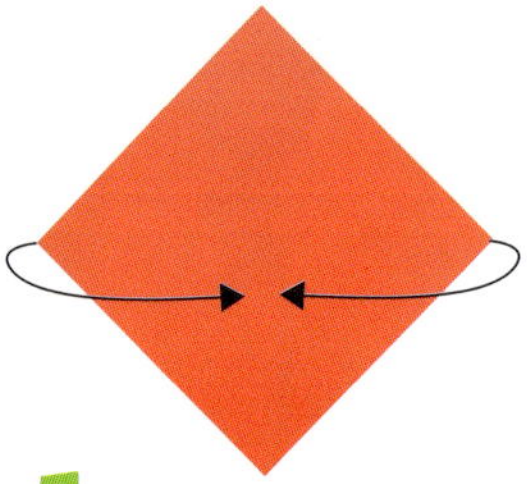

1 ほそくまるめる

2 てでおさえて
できあがり

2
しょう

すてき！

ままごと おりがみ

かわいいおりがみが たくさんだね
きれいにできたら プレゼントしてみよう

ハートの かたちの すてきな ゆびわだよ

ハートの ゆびわ

むずかしい

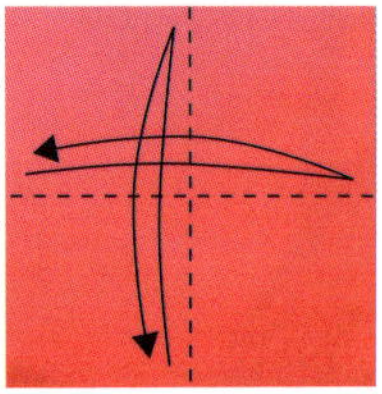

1

たて、よこにおって、もどす

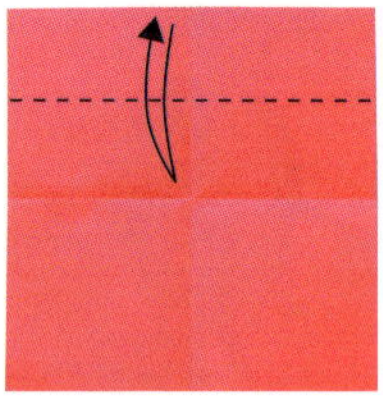

2

まんなかまでおって、もどす

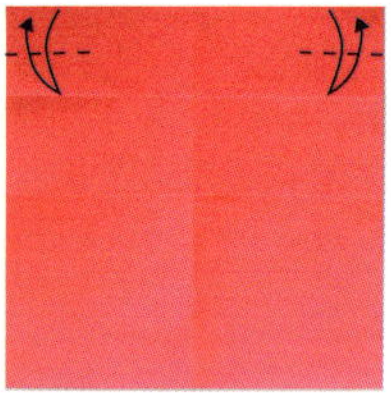

3

2のおりせんまでおって、もどす

はしだけおると、できあがりがきれいだよ

4

3でつけたおりせんまでおる

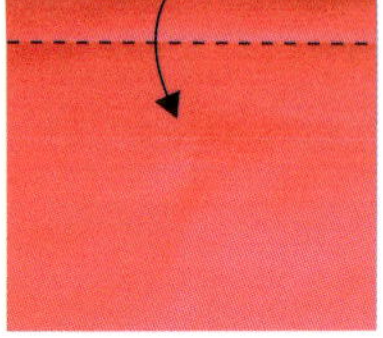

5

2のおりせんで、おる

6

おったところ

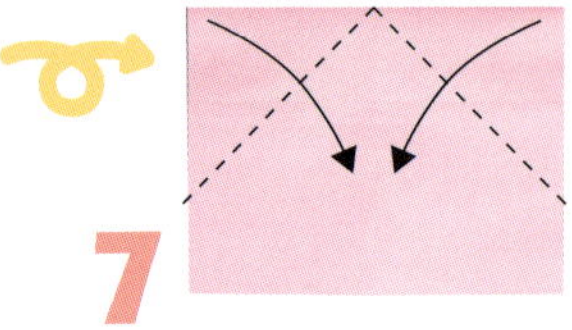

7

まんなかまでおる

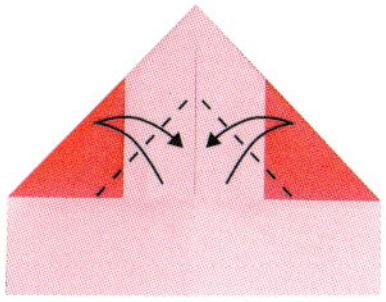

8

てんせんのところで
おって、もどす

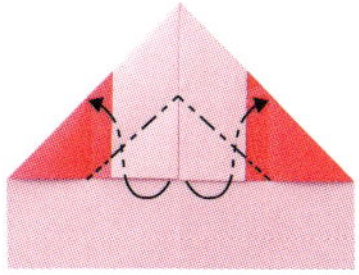

9

8のおりせんにそって、
なかわりおりする

なかわりおりを
しているところ

10

おったところ

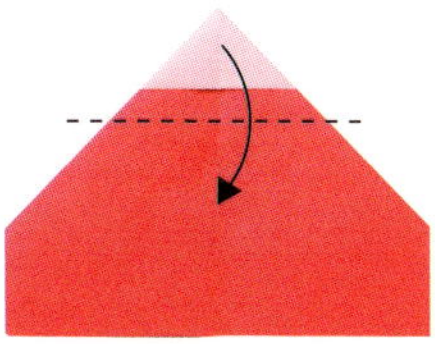

11

てんせんのところでおる

12

おったところ

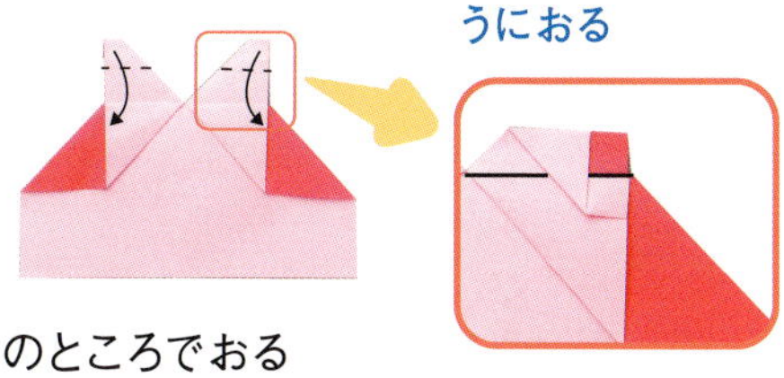

13

てんせんのところでおる

ふといせんがいっ
ちょくせんになるよ
うにおる

14

てんせんのところで
おる

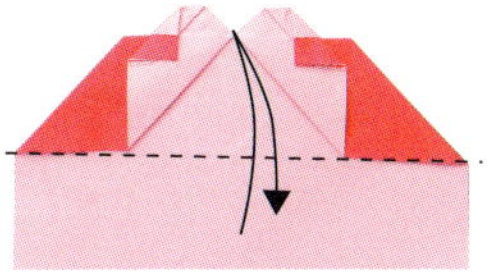

15

はんぶんにおって、
もどす

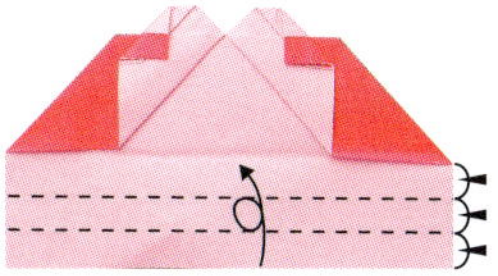

16

ぜんたいをまきおりする

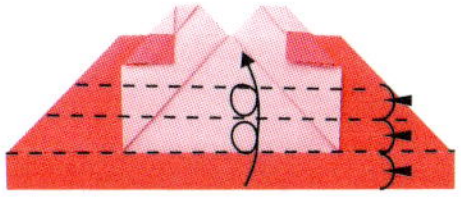

17

ぜんたいをまきおりする

18

やじるしのほうこうにまる
めて、わのかたちにしてと
める

しゃしんのようにさしこむ

19

できあがり

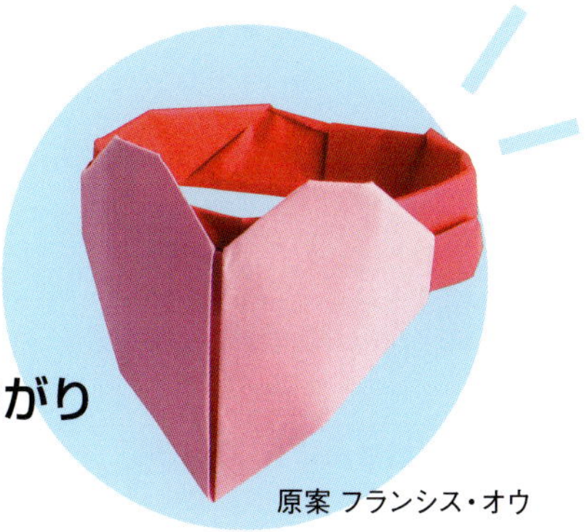

原案 フランシス・オウ

ほうせきのついた きれいな ゆびわだよ

ゆびわ

ふつう

※写真は7.5×15センチメートルと、5×10センチメートルの紙で作っています。

● はんぶんにきったおりがみでつくります

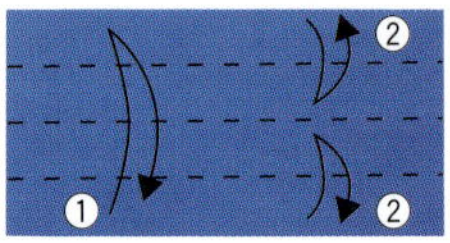

1

①、②のじゅんばんにおって、もどす

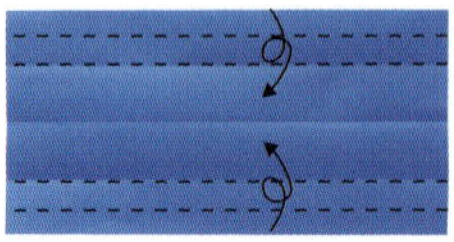

2

まきおりする

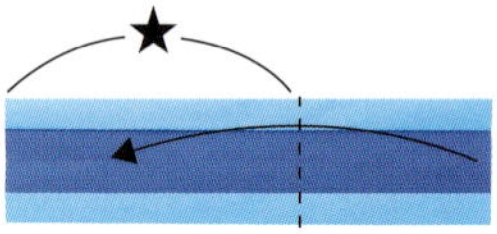

3

★が、ゆびにまきつけたときのながさに、なるようにおる

4

かどをまんなかまでおって、もどす

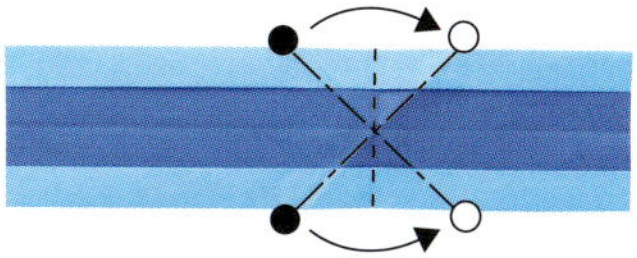

5

3のかたちにひろげて、●と○がかさなるように、たたむ

たたんでいるところ

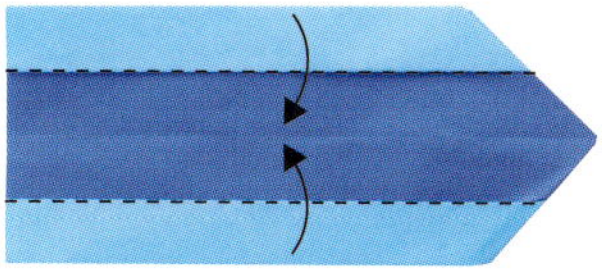

6

上《うえ》のかみだけ、まんなかまでおる

7

おったところ

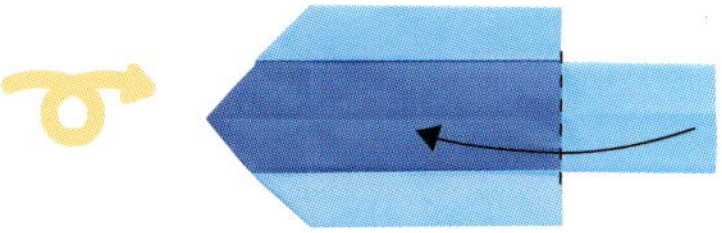

8

てんせんのところでおる

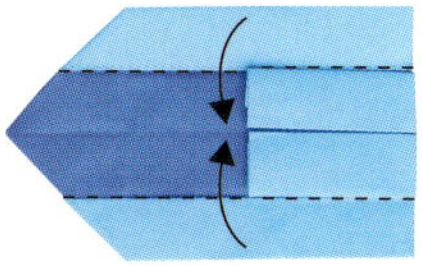

9

まんなかまでおる

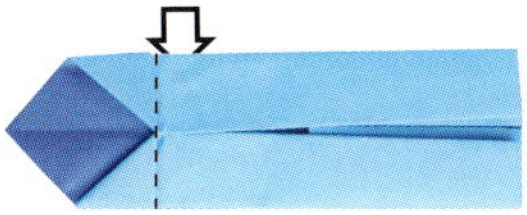

10

ゆびをいれて、ひらく

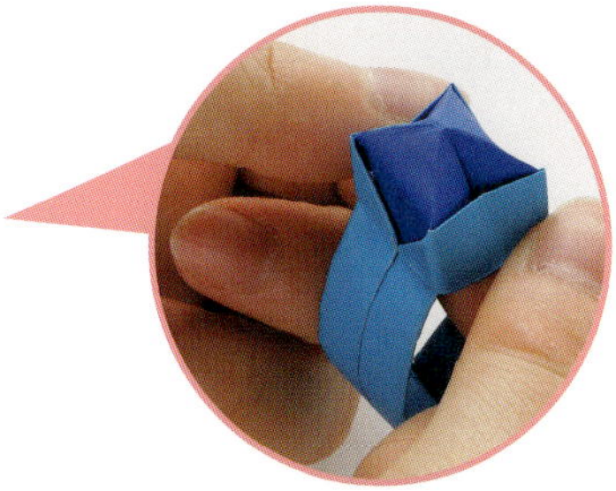

ひらいて、かたちをととのえる

11

できあがり

原案　田中雅子

いろんなゆびわを、
つくってみたよ。
すてきでしょ？

てに まいて あそべるよ！

うでどけい

ふつう

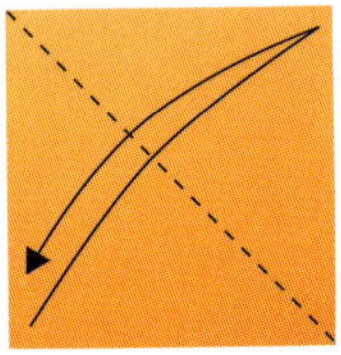

1

はんぶんにおって、もどす

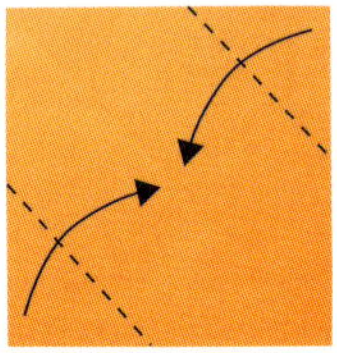

2

まんなかまでおる

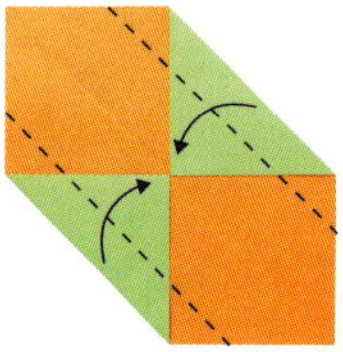

3

まんなかまでおる

4

おったところ

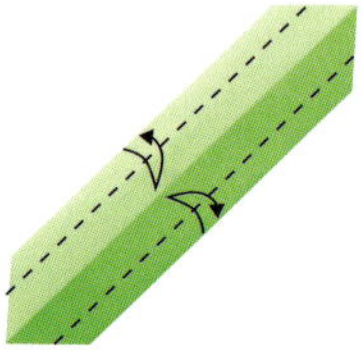

5

まんなかまでおって、もどす

6

はんぶんにおる

7

かどをおりせんまでおって、もどす

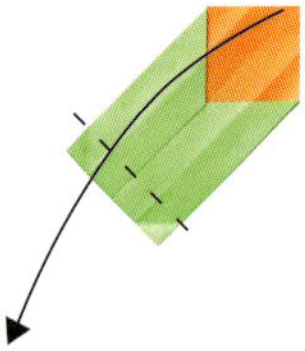

8

てんせんのところでおる。うらもおなじようにおる

9

かどをおりせんまでおって、もどす

10

おりせんにあわせてひらく。うらもおなじようにおる

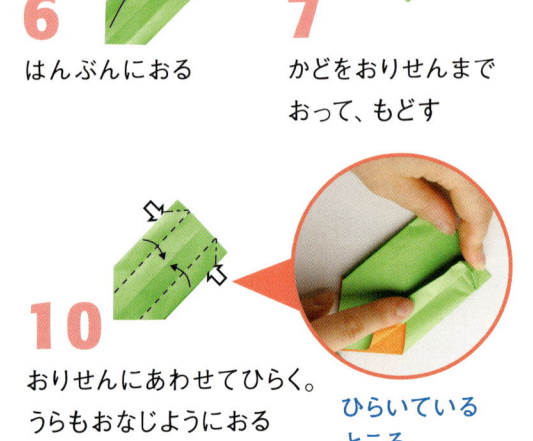

ひらいているところ

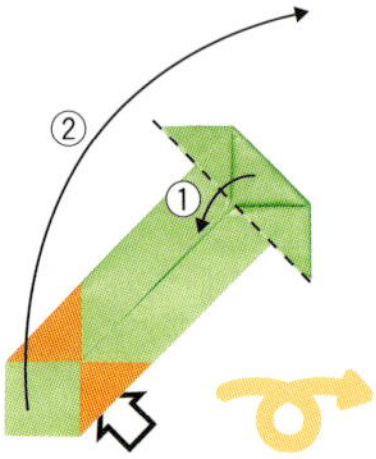

11

①、②のじゅんばんでおる

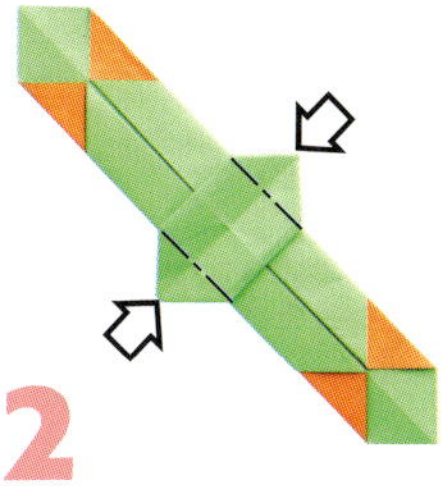

12

りょうがわをおして、
かたちをととのえる

おっているところ

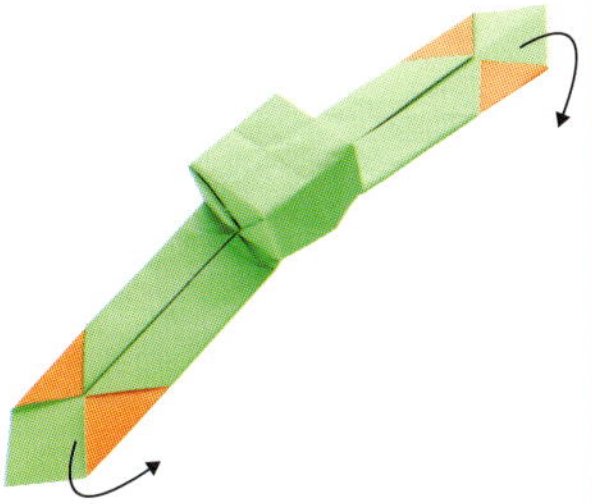

13

やじるしのほうこうにおる

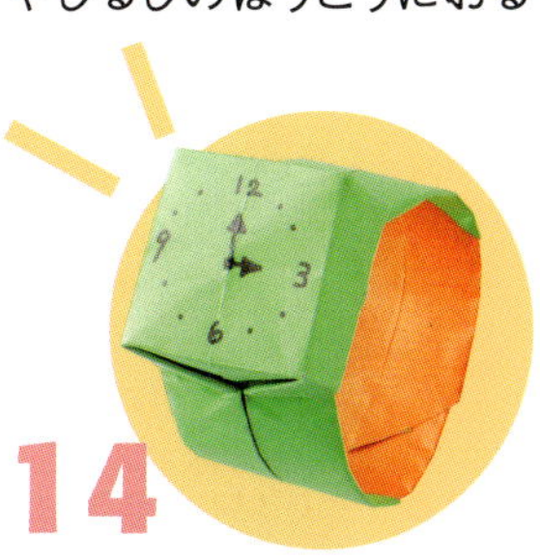

14

わをのりでとめ
えをかいて
できあがり

おかねをいれて おかいものを しよう

さいふ

かんたん

● ちょうほうけいの
かみでつくります

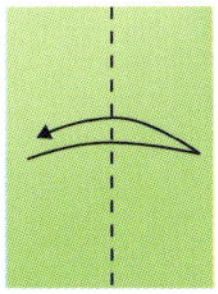

1

はんぶんにおって、
もどす

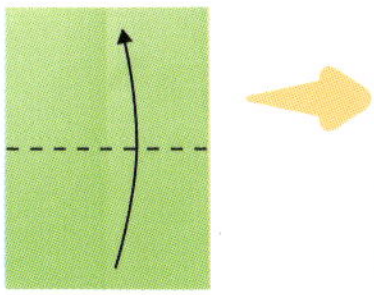

2

はんぶんにおる

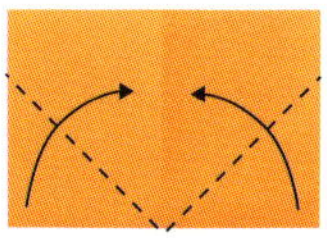

3

下《した》のかどを、まん
なかまでおる

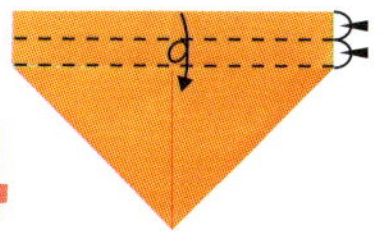

4

上《うえ》の1まいを、てんせ
んのところでまきおり
する

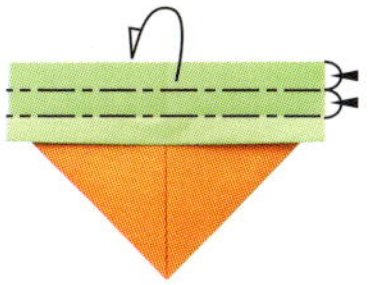

5

うらもおなじように
まきおりする

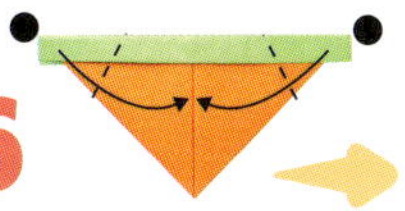

6

●が、まんなかに
くるようにおる

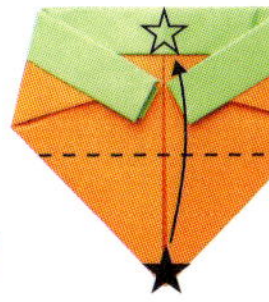

7

★を☆にさしこむ

8

さしこんだところ

9

できあがり

もようのついた おりがみでおると かわいいね

ハンドバッグ

ふつう

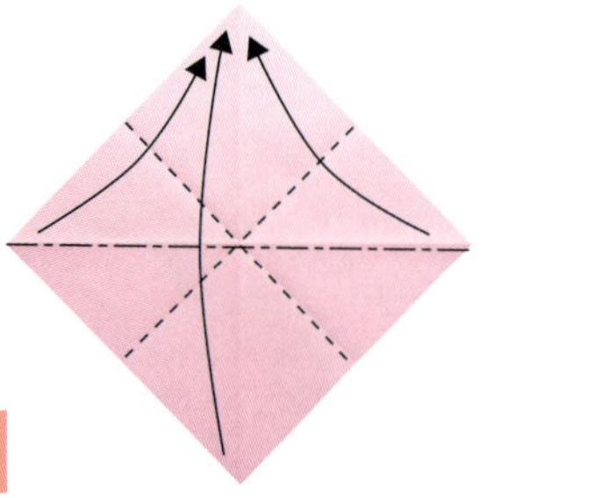

1

「四《し》かくおり（13ページ）」を
つくる

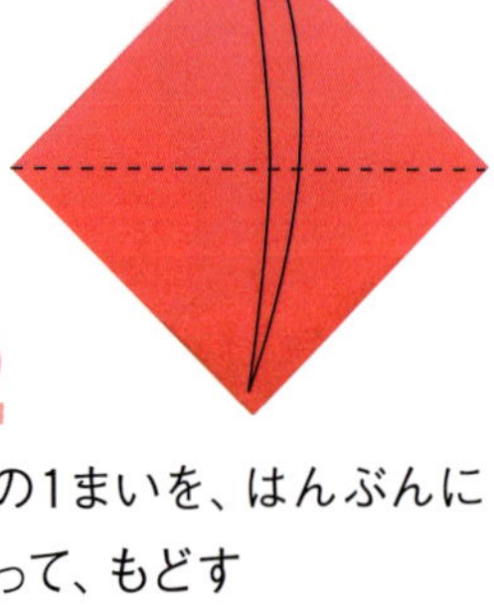

2

上《うえ》の1まいを、はんぶんに
おって、もどす

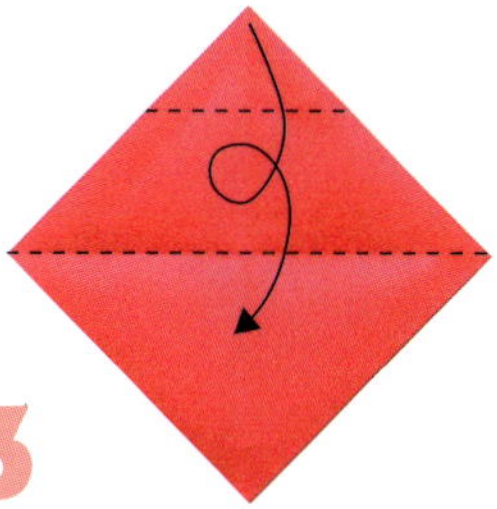

3

まきおりする。うらも
おなじようにおる

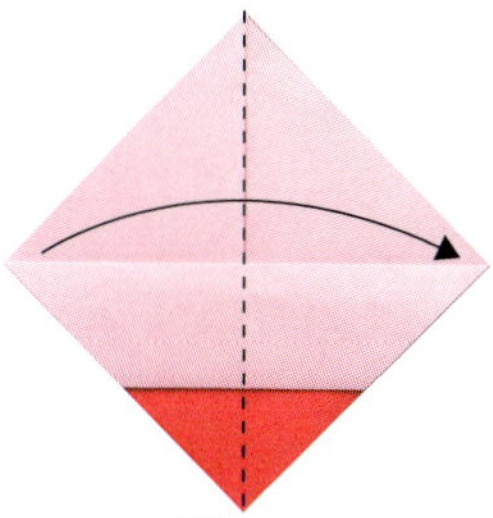

4

上《うえ》の1まいを右《みぎ》におる。
うらもおなじようにおる

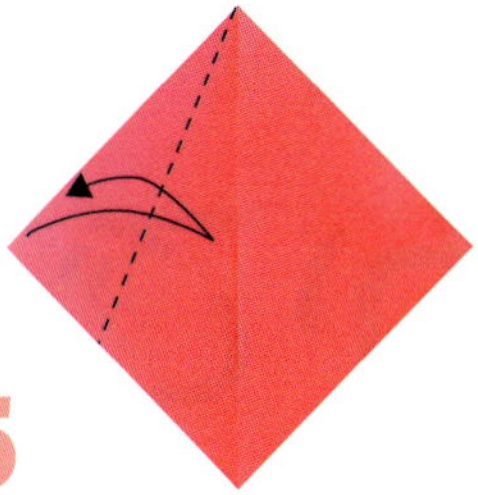

5

まんなかまでおって、
もどす

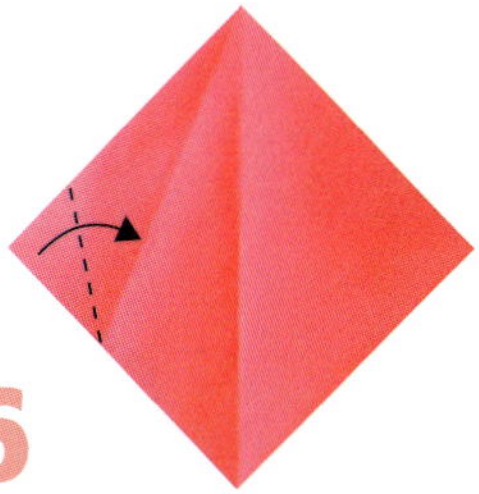

6

5のおりせんまでおる

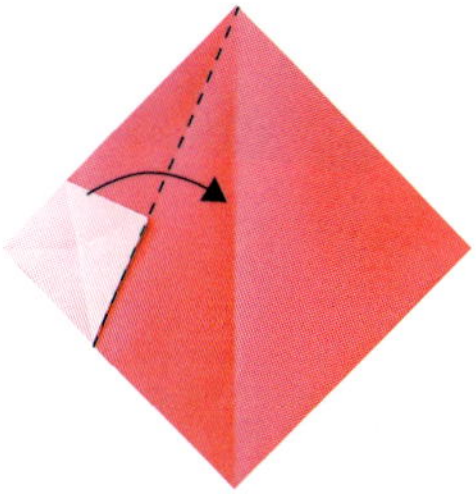

7

5のおりせんでおる

8

右《みぎ》がわと、うらもおなじよう
におる

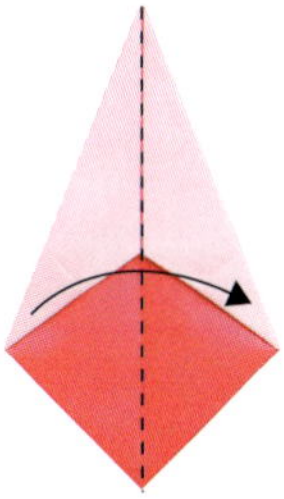

9

上《うえ》の1まいを右《みぎ》におる。
うらもおなじようにおる

10

てんせんのところでお
って、もどす

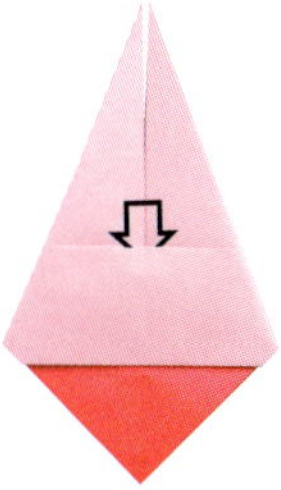

11

ゆびをいれて、ひらく

ひらいているところ

12

さきをかさねて、のり
づけする

はりつけているところ

13

できあがり

おもちゃや おかしを いれよう

かご

むずかしい

2まいのかみで

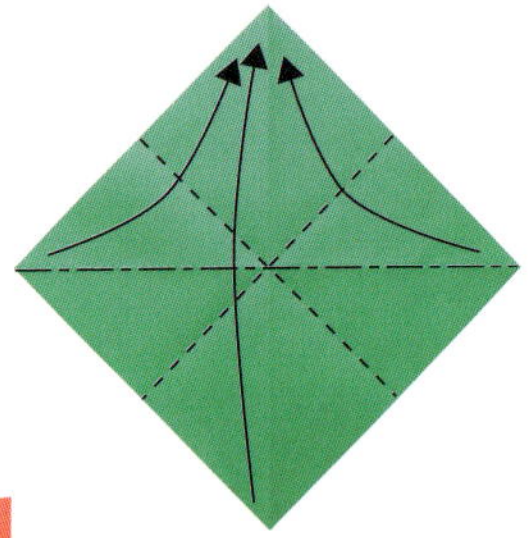

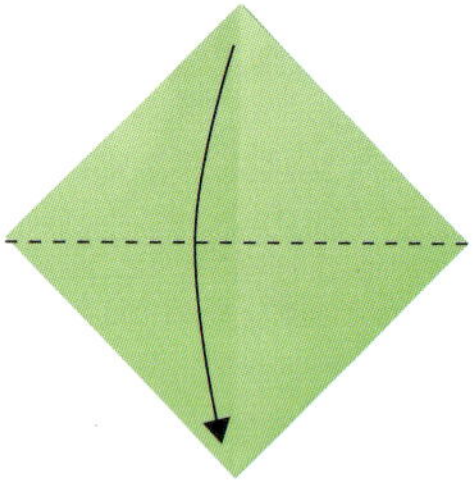

1

「四《し》かくおり（13ページ）」をつくる

2

上《うえ》の1まいをはんぶんにおる。うらもおなじようにおる

3

おったところ

●もう1まいのかみを、ほそながくきってつかいます

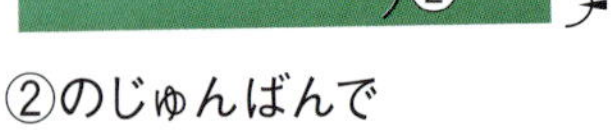

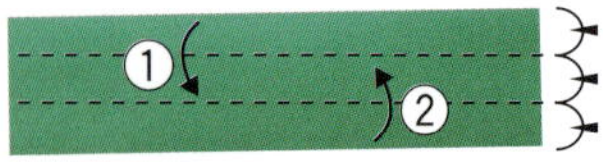

4

①、②のじゅんばんでおる

5

おったところ

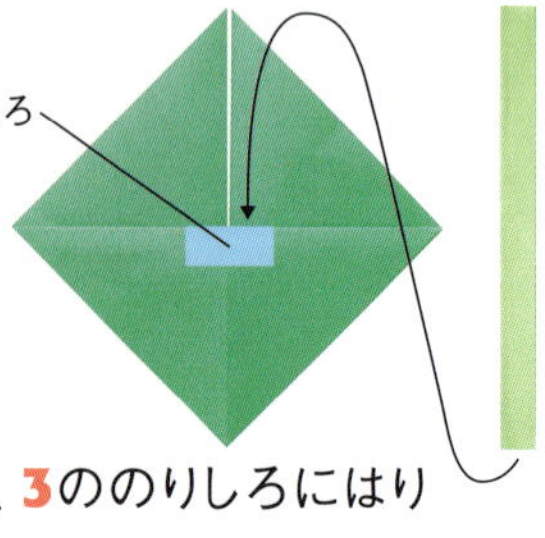

6

5を、3ののりしろにはりつける

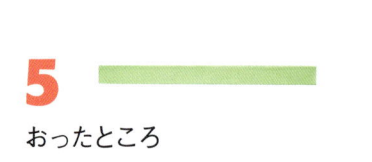

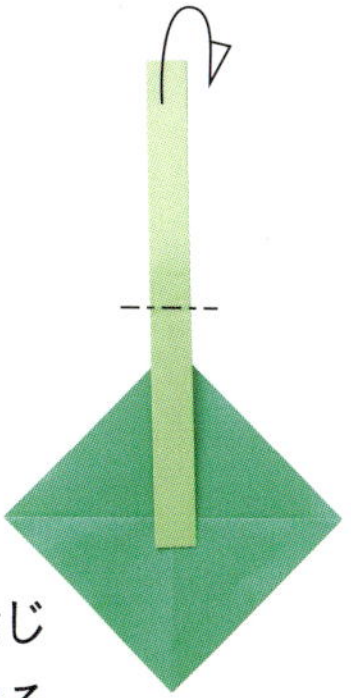

7

うらがわもおなじ
ようにはりつける

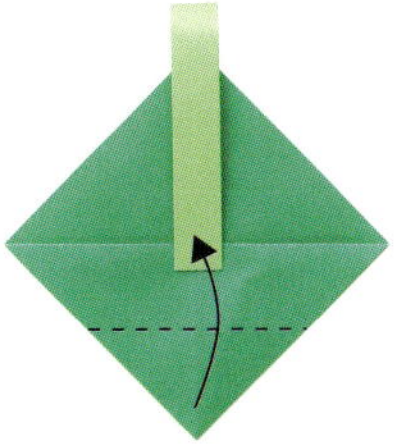

8

上《うえ》の1まいをまんなか
までおる

9

まきおりする。うらも
おなじようにおる

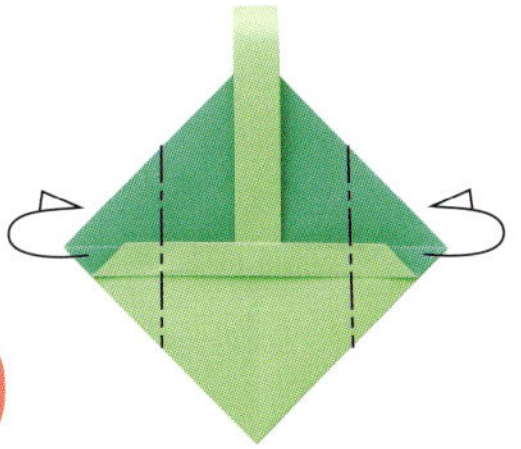

10

りょうはしを、うちがわにおりこ
む。うらもおなじようにおる

おりこんでいるところ

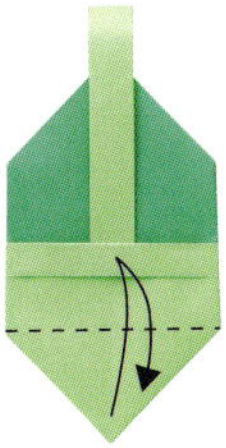

11

てんせんのところで
おって、もどす

12

ゆびをいれて、ひらく

ひらきながら、はこの
かたちにする

13

ひらいたところ

はこをよこから
見《み》ているよ

14

だんおりして、★をは
このそこにつける

15

はんたいがわもおなじ
ように、中《なか》にいれる

16

できあがり

テーブルといす りょうほう つくってみてね

テーブルセット

むずかしい

2まいのかみで

テーブル

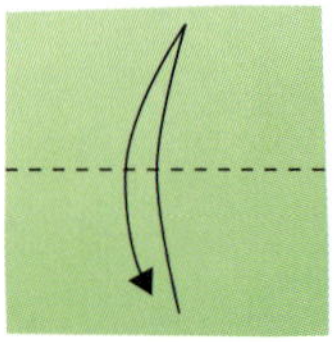

1

はんぶんにおって、もどす

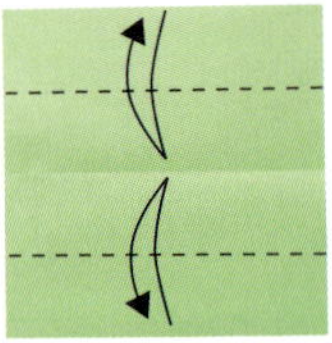

2

まんなかまでおって、
もどす

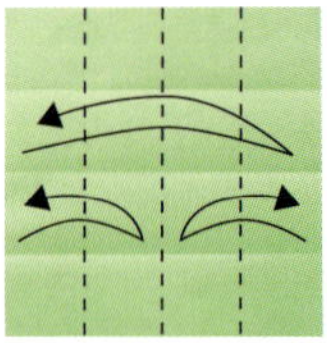

3

よこもおなじように
おって、もどす

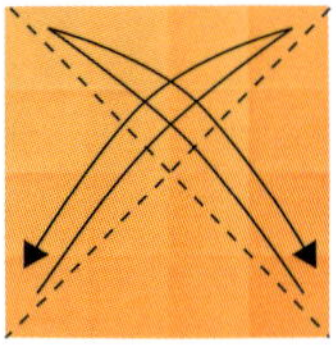

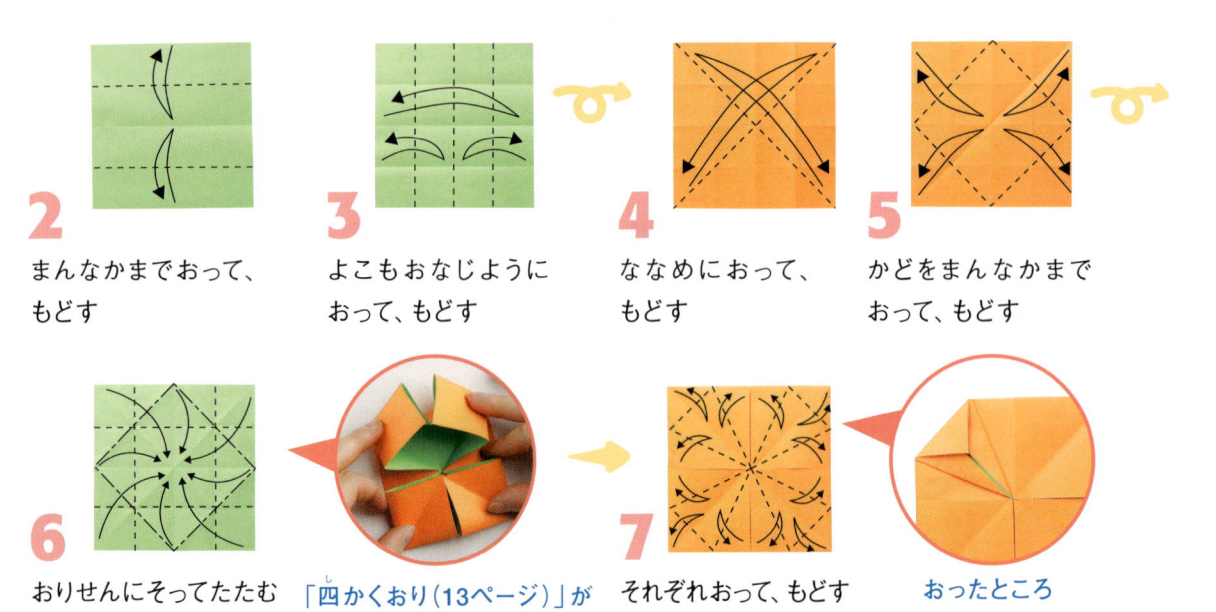

4

ななめにおって、
もどす

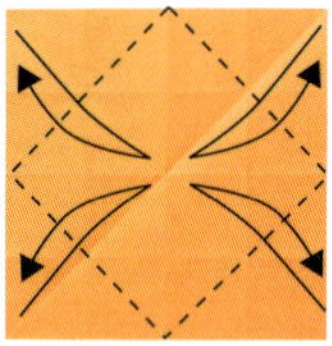

5

かどをまんなかまで
おって、もどす

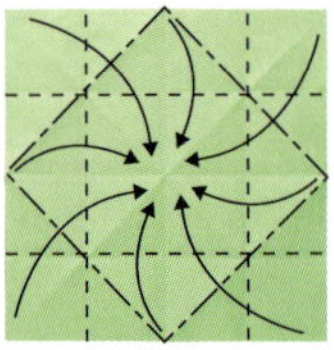

6

おりせんにそってたたむ

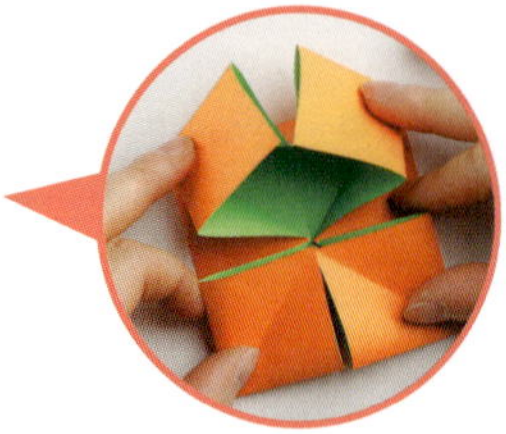

「四《し》かくおり（13ページ）」が
4つできる

7

それぞれおって、もどす

おったところ

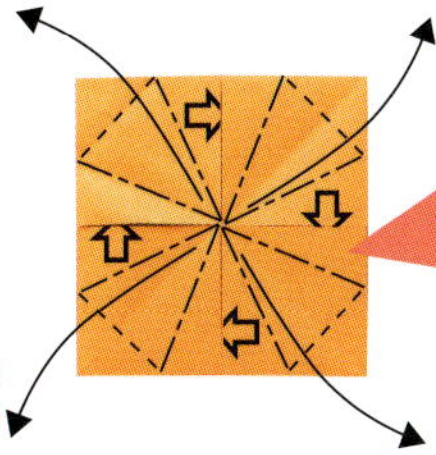

8

それぞれ、おりせん
にそってひらく

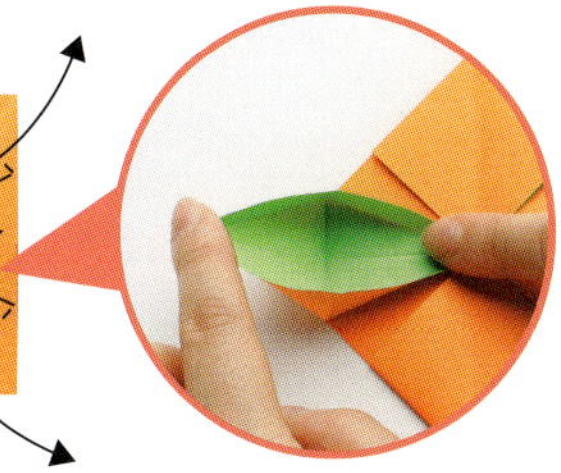

ひらいている
ところ

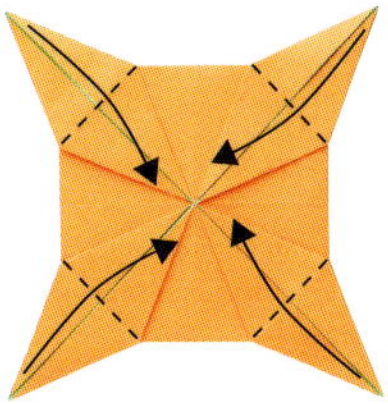

9

うちがわにおって、
足《あし》をたたせる

10

テーブルの
できあがり

いす

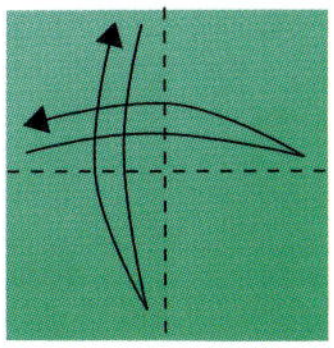

1

たて、よこにおって、
もどす

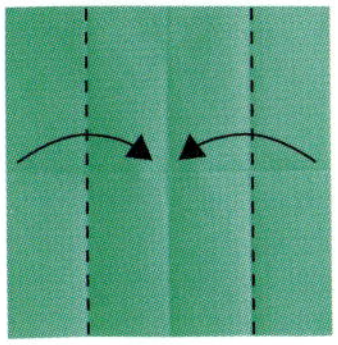

2

まんなかまでおる

3

上《うえ》のかどを、まんな
かまでおる

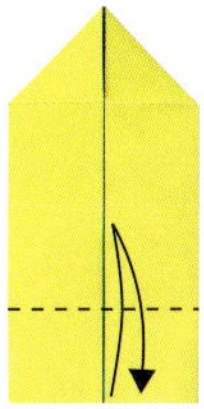

4

下《した》を、まんなかまで
おって、もどす

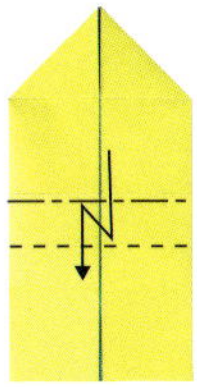

5

4のおりせんにむか
ってだんおりする

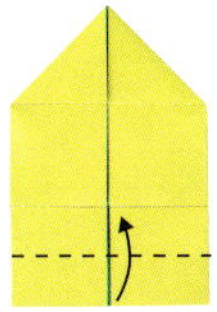

6

てんせんのところ
で、おる

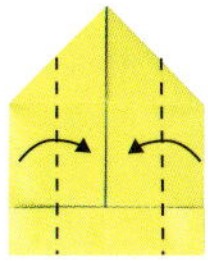

7

まんなかまでおる

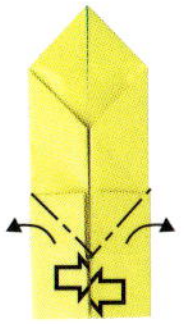

8

やじるしのところを
ひらく

9

ゆびをいれて、足《あし》を
たたせる

たたせている
ところ

10

いすの
できあがり

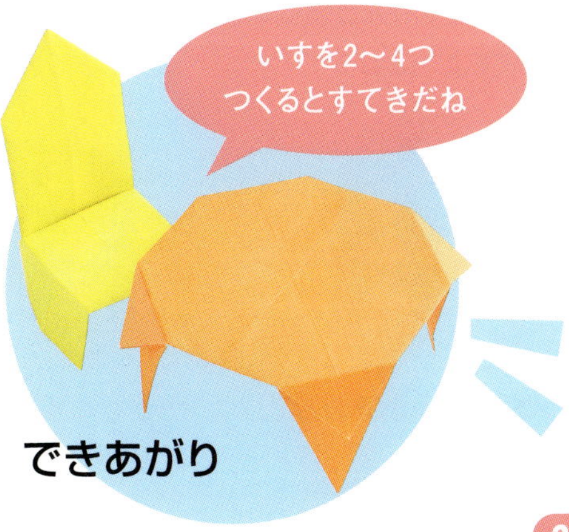
いすを2〜4つ
つくるとすてきだね

できあがり

まくらと ふとんも ついているよ

ベッド

ふつう

3まいのかみで

ベッド

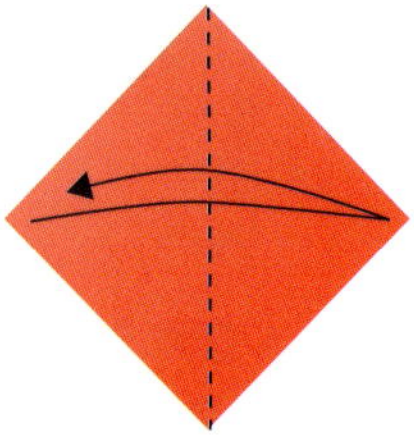

1

はんぶんにおって、もどす

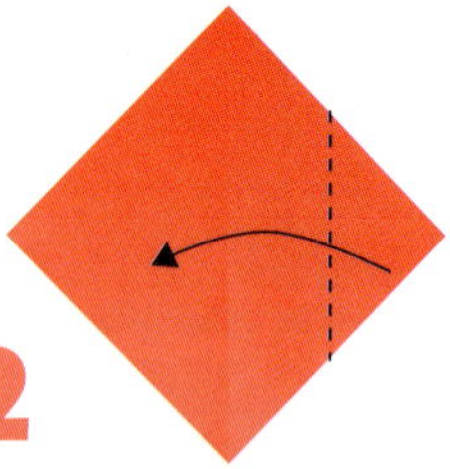

2

1のおりせんからはみだすようにおる

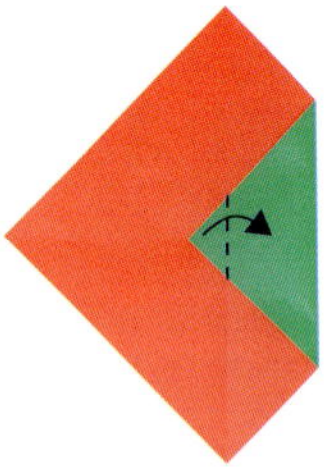

3

まんなかのせんにあわせておる

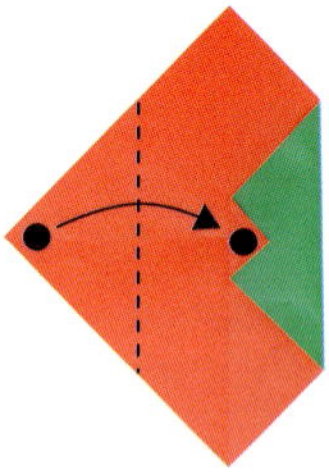

4

●が、かさなるようにおる

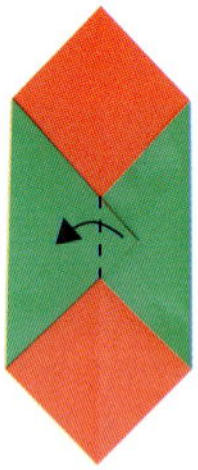

5

まんなかのせんにあわせておる

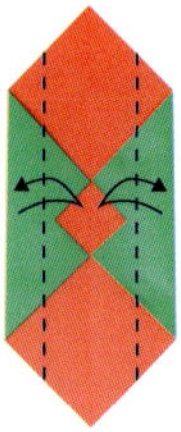

6

まんなかまでおって、もどす

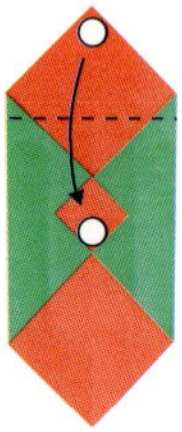

7

○がかさなるようにおる

8

てんせんのところでおりかえす

★のせんが6のおりせんと
おなじはばになるよ

おったところ

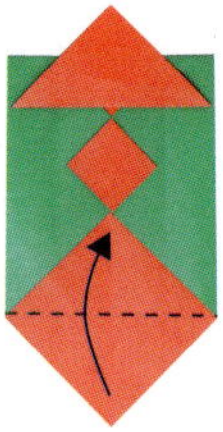

9
てんせんのところでおる

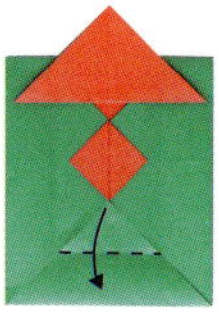

10
てんせんのところでおって、もどす

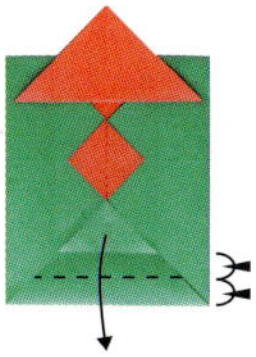

11
10のおりせんが、はしとかさなるようにおる

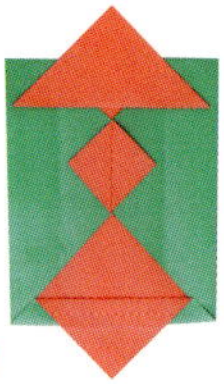

12
おったところ

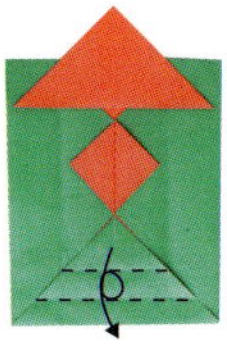

13
11にもどして、まきおりする

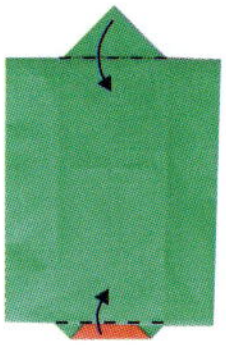

14
はみだしたぶぶんをたたせる

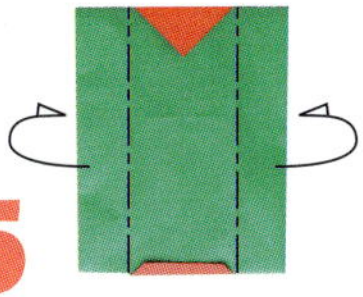

15
りょうはしを、おりすじにそってたたせる

16
ベッドのできあがり

まくら

●ベッドの3分《ぶん》の1の大《おお》きさのかみでつくります

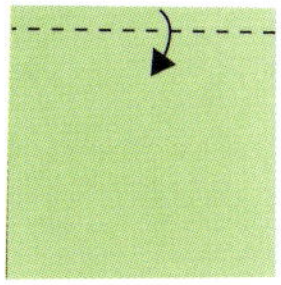

1
てんせんのところでおる

2
おったところ

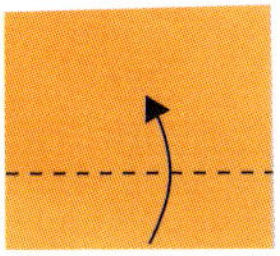

3
てんせんのところでおる

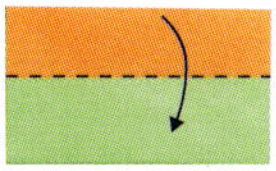

4
てんせんのところでおる

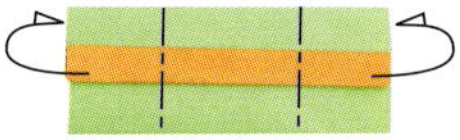

5
りょうはしを、うしろにおる

6
まくらのできあがり

ふとん

●ベッドの3分《ぶん》の2の大《おお》きさのかみでつくります

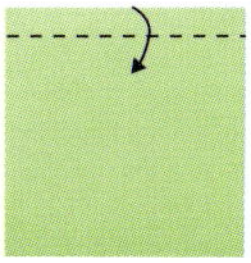

1
てんせんのところでおる

2
ふとんのできあがり

ふとんをベッドのたかさにあわせてたたせよう

できあがり

いろんなもようの かみで つくってみよう

シャツ

ふつう

● はんぶんにきったおりがみで
つくります

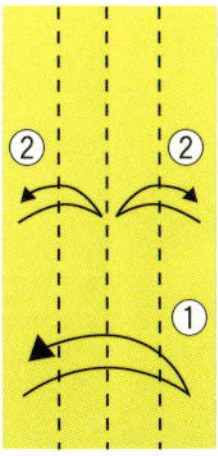

1

①、②のじゅんばんで おって、もどす

2

上《うえ》をすこしだけ、やま おりする

3

下《した》のかどを、おりせん までおる

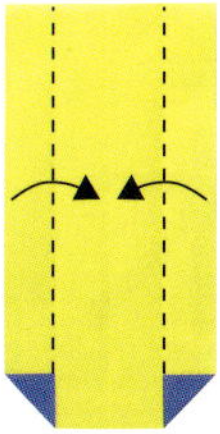

4

りょうがわをまんなか までおる

5

てんせんのところでお って、もどす

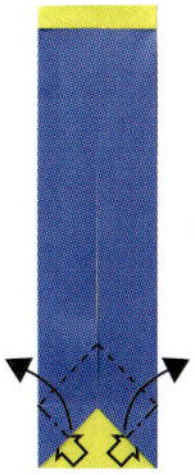

6

おりせんをつかって ひらいて、たたむ

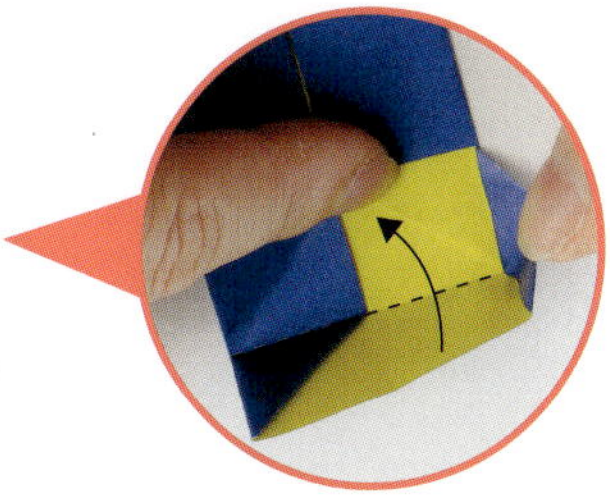

ひらいているところ

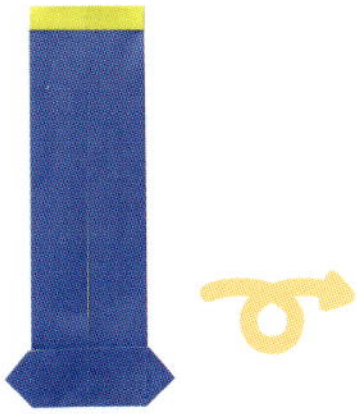

7

たたんだところ

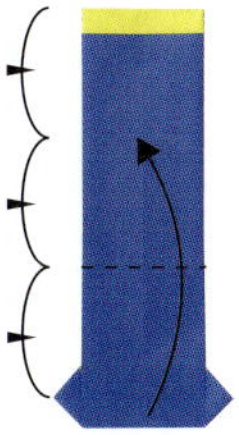

8

てんせんのところ でおる

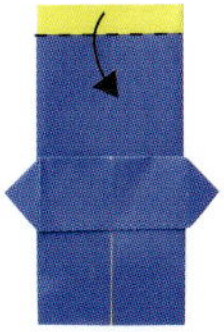

9

てんせんのところ でおる

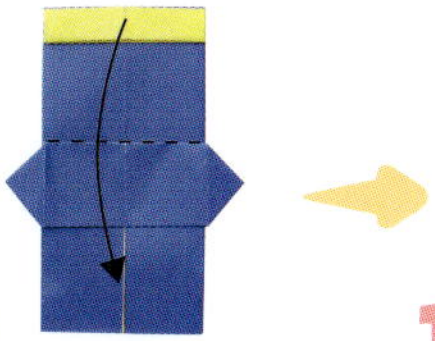

10

てんせんのところ でおる

11

●がまんなかのせんに、 かさなるようにおる

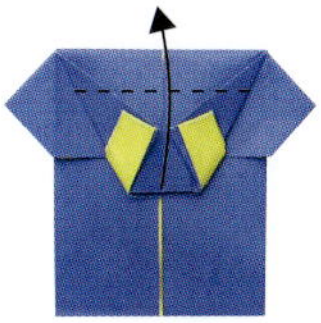

12

てんせんのところ でおる

13

おったところ

14

○のぶぶんをまえにひ きだす

15

できあがり

たくさんかざって こうえんを つくろう

木《き》

かんたん　はさみ

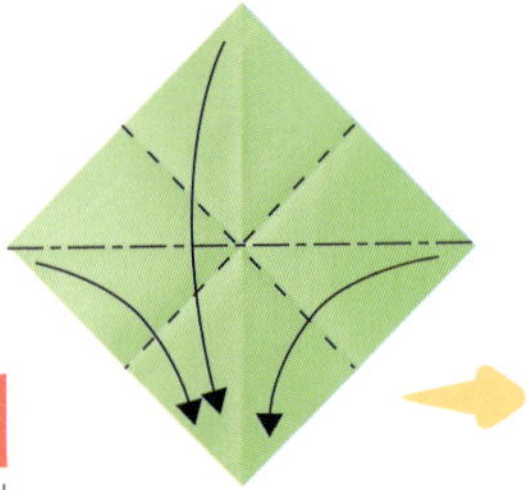

1

「四《し》かくおり（13ページ）」をつくる

2

まんなかまでおって、もどす

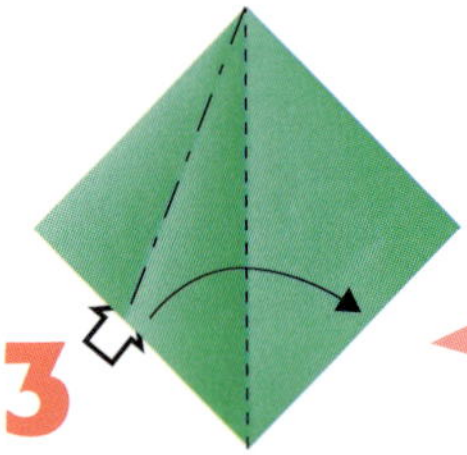

3

おりせんにそってひらいて、たたむ

ひらいているところ

4

ほかの3かしょも、おなじようにおる

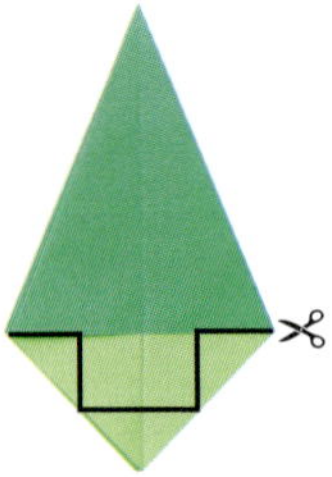

5

はさみできる

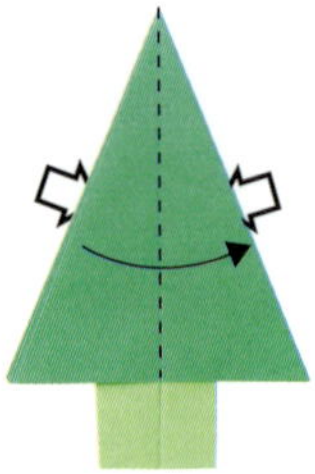

6

ひらいて、たたせる

7

できあがり

ちがういろを くみあわせると きれいだよ

ほしのかざり

かんたん

5まいの かみで

● ななめに、はんぶんにきった おりがみでつくります

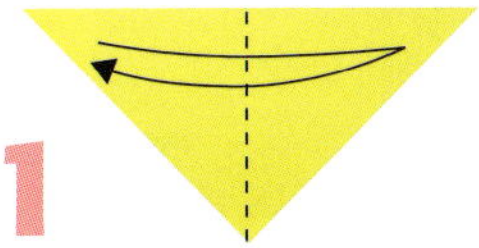

1

はんぶんにおって、もどす

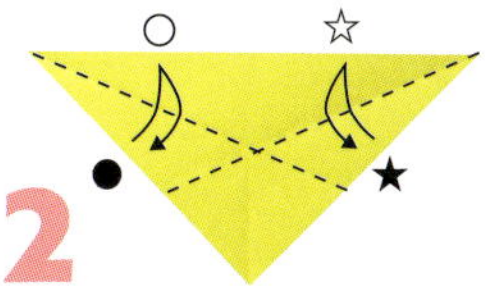

2

●と○、★と☆がかさなるようにおって、もどす

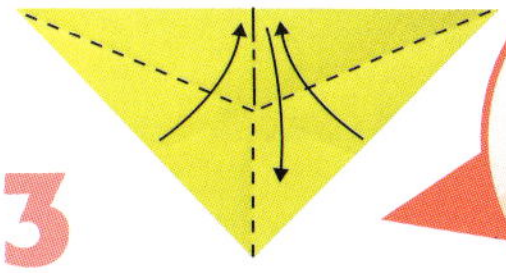

3

おりせんにそってたたむ

たたんでいるところ

4

おなじものを5つつくる

5

2つをくみあわせる

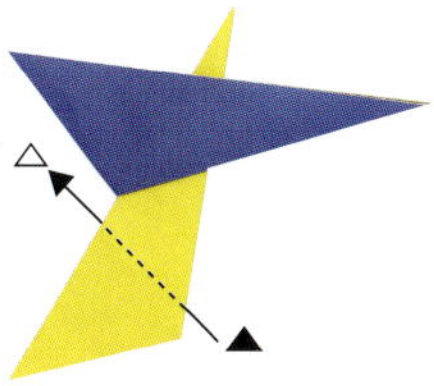

6

▲から3つめをさしこみ、△からだす

7

さしこんだところ。おなじようにつなげていく

8

できあがり

※写真の小さい作品は15×10センチメートルの紙で、大きい作品は25×18センチメートルの紙で作っています。

てがみをいれて ともだちに おくろう

ふうとう

かんたん

●ちょうほうけいのかみで
つくります

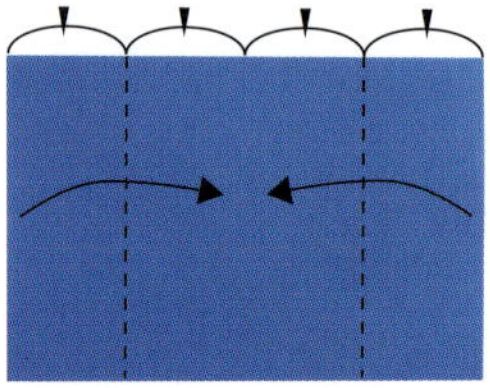

1
まんなかまでおる

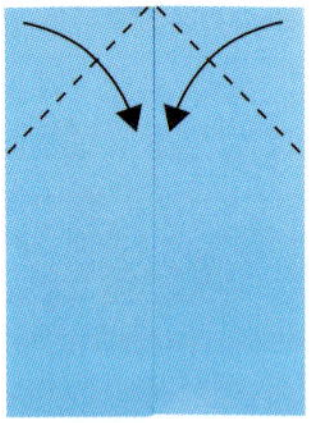

2
かどを三《さん》かくにおる

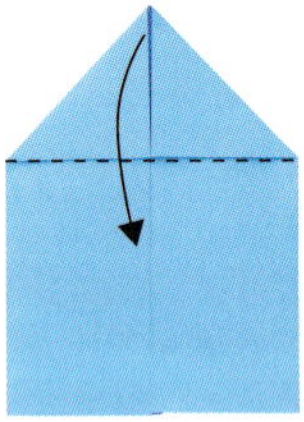

3
てんせんのところで
おる

4
かぶせるようにおる

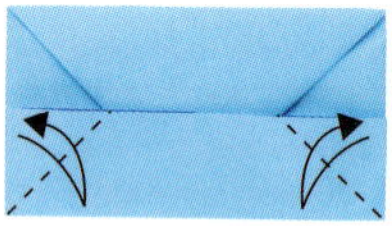

5
三《さん》かくけいにあわせて
かどをおって、もどす

6
いちどひらいて、**5**の
おりせんでおる

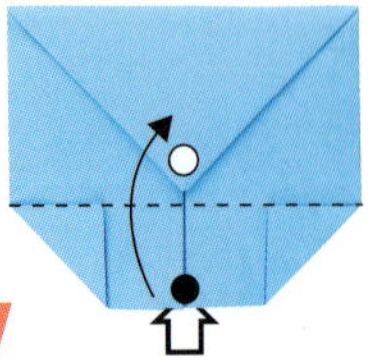

7
○を●の中《なか》にさしこむ

さしこんで
いるところ

8
できあがり

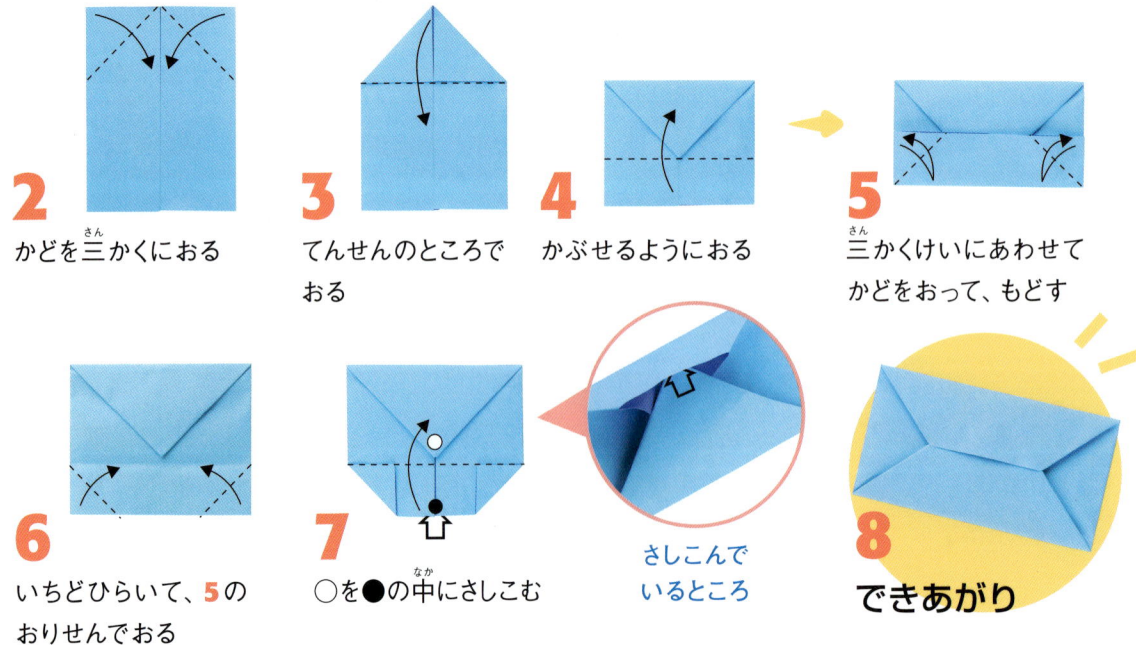

3
しょう

おもしろい！

おみせやさん おりがみ

みんなだいすきな おかしや くだもの
いっぱいつくって おみせやさんごっこをしよう

すききらいは だめだよ

にんじん

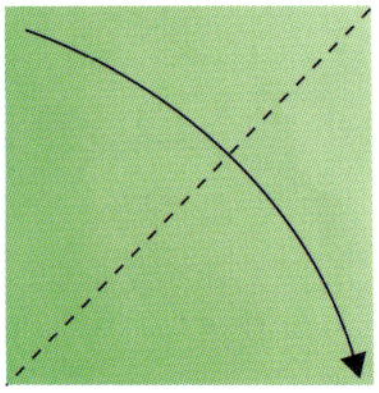

1 はんぶんにおる

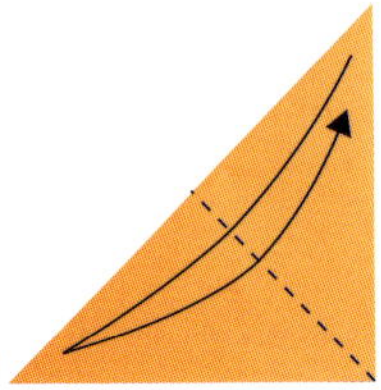

2 はんぶんにおって、もどす

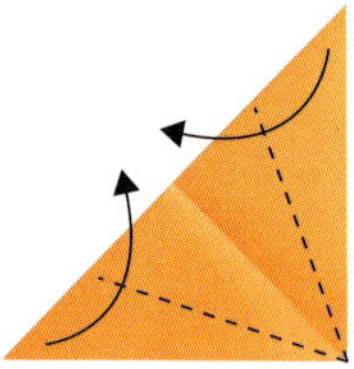

3 まんなかまでおる

4 せんのところをはさみできって、ひらく

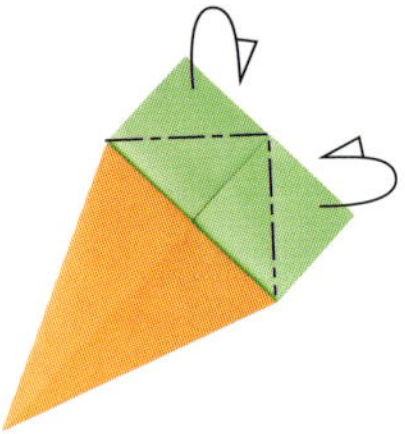

5 てんせんのところで、やまおりする

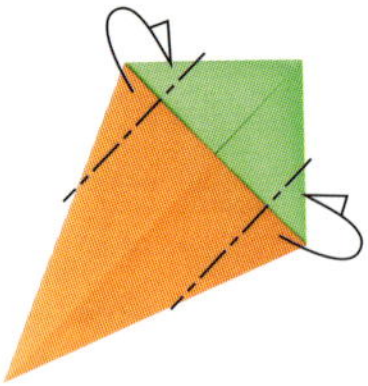

6 やまおりして、かたちをととのえる

7 できあがり

へんしん

◆だいこん◆

にんじんの7からはじめます

1 てんせんのところでおる

2 できあがり

いろをかえると いろんな くだものになるよ

もも

かんたん

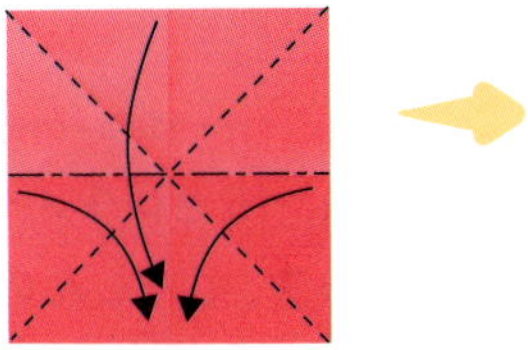

1

「三《さん》かくおり（13ページ）」をつくる

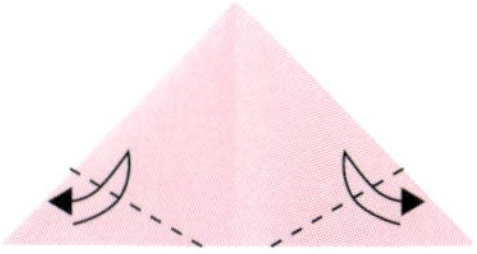

2

てんせんのところでおって、もどす。うらもおなじようにおる

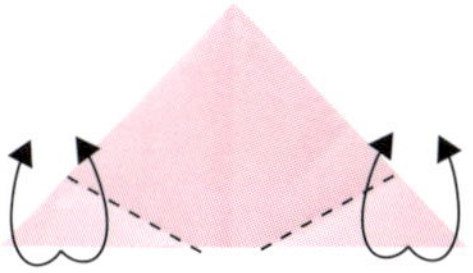

3

2のおりせんをつかって、かぶせおりする

4

できあがり

へんしん

いろんないろのおりがみで、つくってみよう！

◆いちご◆

赤《あか》い小《ちい》さなかみでつくる

◆グレープフルーツ◆

きいろいかみでつくる

◆みかん◆

オレンジいろのかみでつくる

◆くり◆

ちゃいろの小《ちい》さなかみでつくる

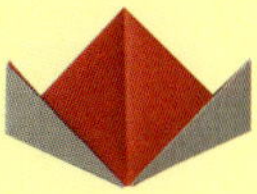

小《ちい》さくて かわいいね！ たくさんつくろう

さくらんぼ

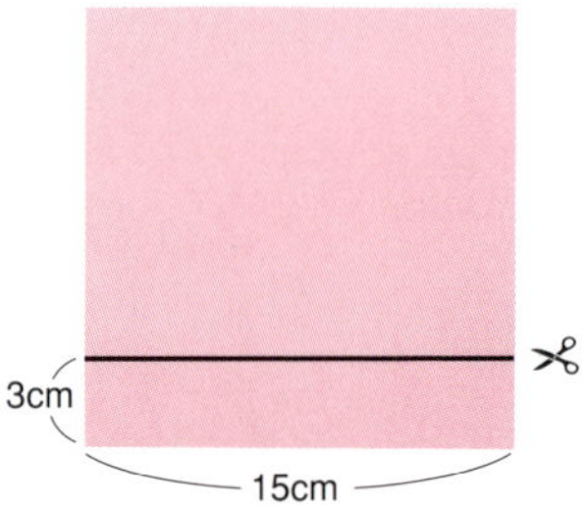

1

たて、よこ15センチメートルのおりがみを、しゃしんのようにきる

2

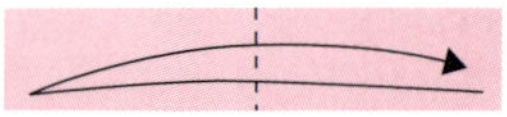

はんぶんにおって、もどす

3

かどをななめにおって、もどす

4

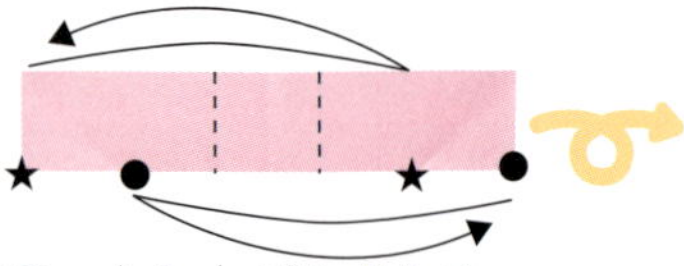

●と●、★と★がかさなるようにおって、もどす

5

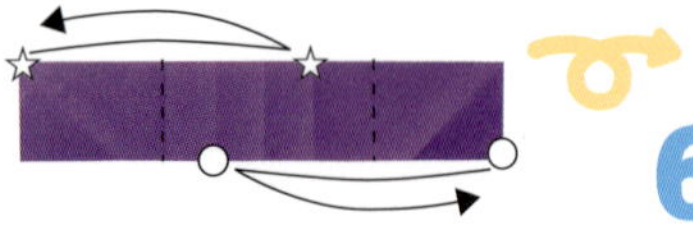

○と○、☆と☆がかさなるようにおって、もどす

6

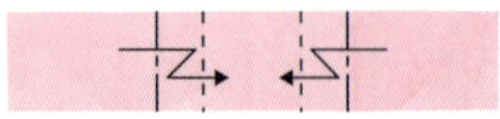

だんおりする

7

おったところ

8

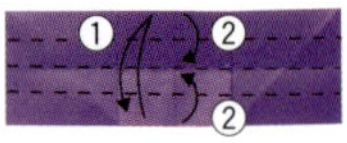

①、②のじゅんばんでおる

9

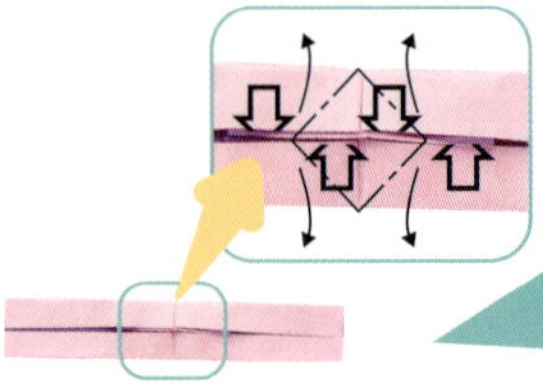

やじるしのところでひらく

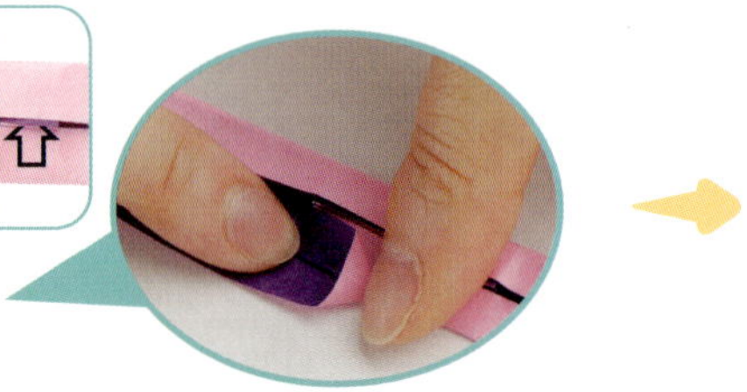

ひらいているところ

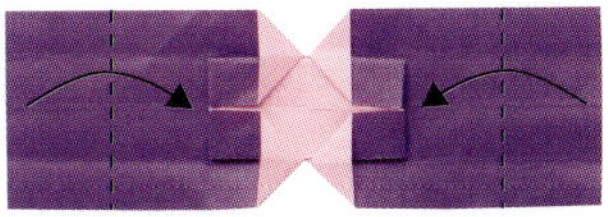

10

てんせんのところでおる

11

かどを三《さん》かくにおる

12

みのできあがり

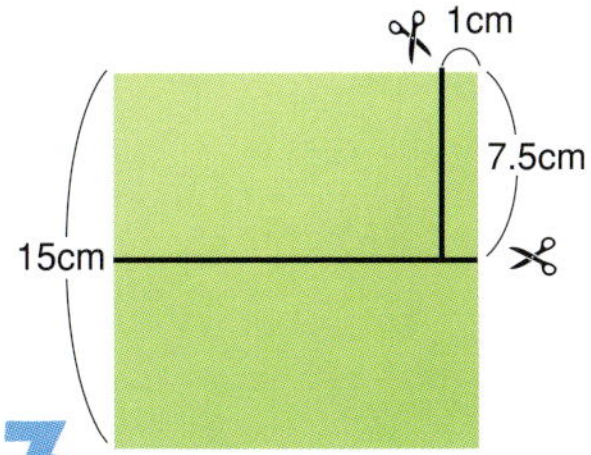

13

たて、よこ15センチメートルのおりがみを、しゃしんのようにきる

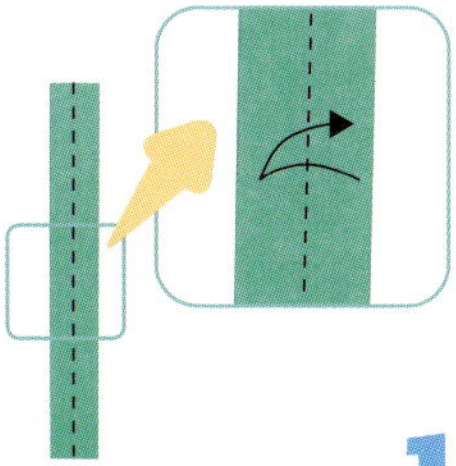

14

はんぶんにおって、もどす

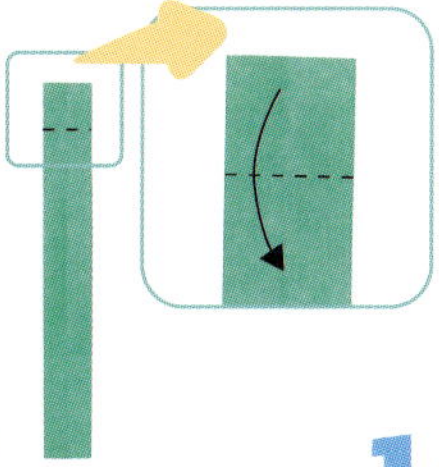

15

てんせんのところでおる

16

15でおったところまで、きる

17

てんせんのところでおる

18

さきをすこしやまおりする

19

くきのできあがり

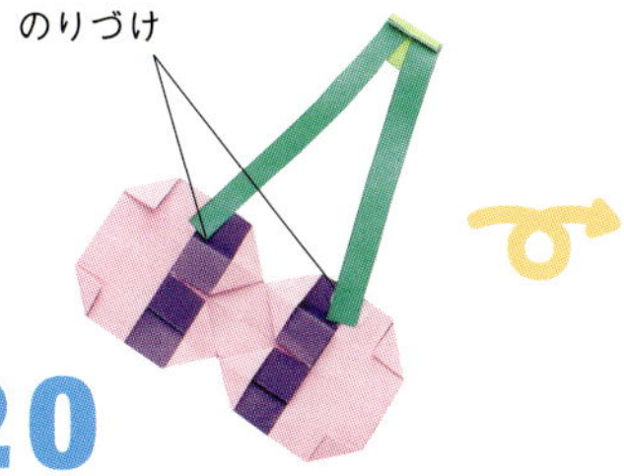

20

12と**19**を、うらがえしてはりつける

できあがり

原案　中島進

りょうめんおりがみで つくってみよう

かき

ふつう

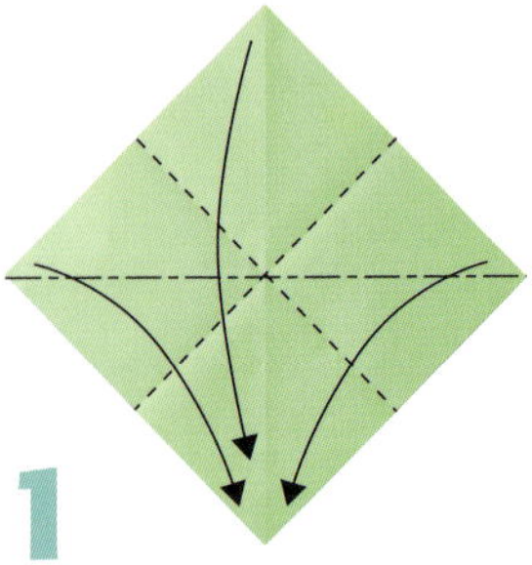

1

「四《し》かくおり(13ページ)」をつくる

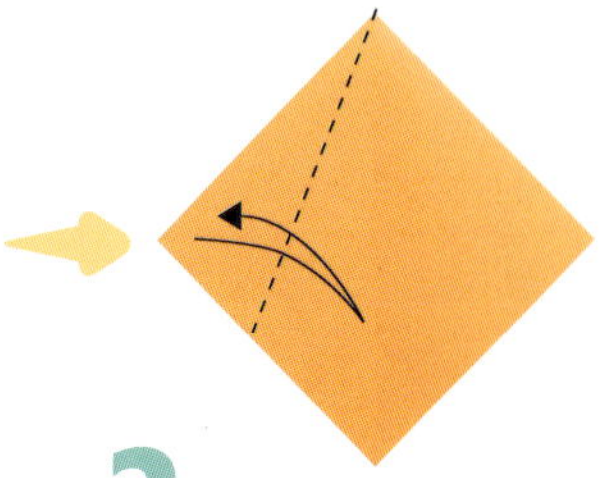

2

ななめにおって、もどす

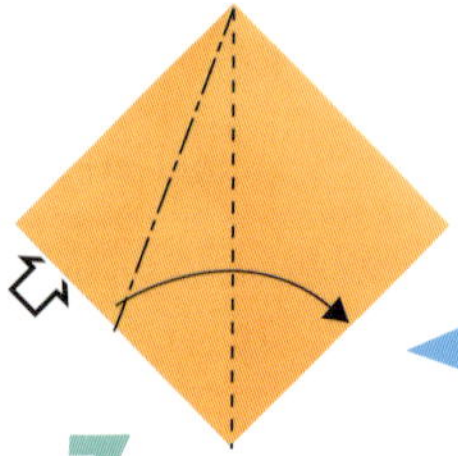

3

ひらいて、たたむ

ひらいているところ

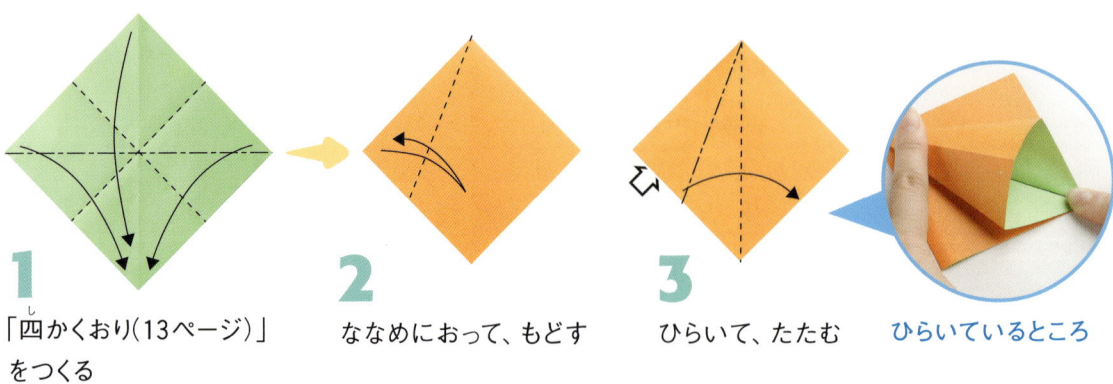

4

ほかの3かしょも、おなじようにおる

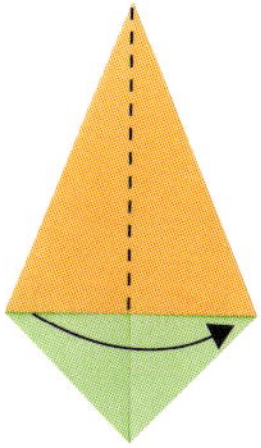

5

上《うえ》の1まいを右《みぎ》におる。うらもおなじようにおる

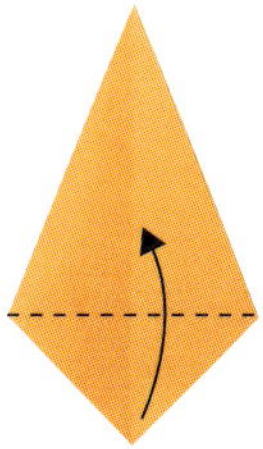

6

てんせんのところで、おる。ほかの3かしょも、おなじようにおる

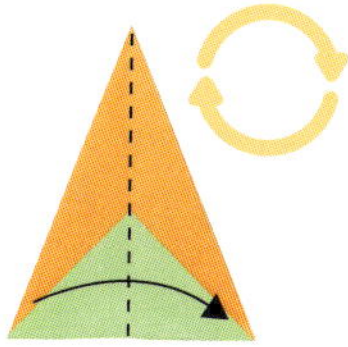

7

上《うえ》の1まいを右《みぎ》におる。うらもおなじようにおる

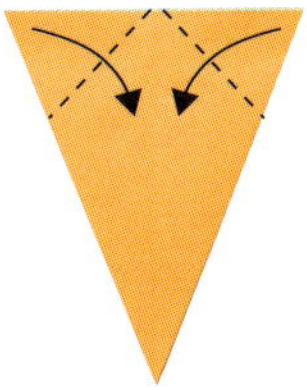

8

まんなかまでおる。ほかの3かしょも、おなじようにおる

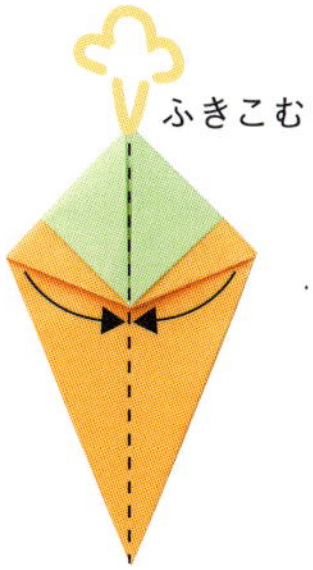

9

かどをたたせながら、いきをふきこんでふくらませる

10

★をひきだして、たたせる

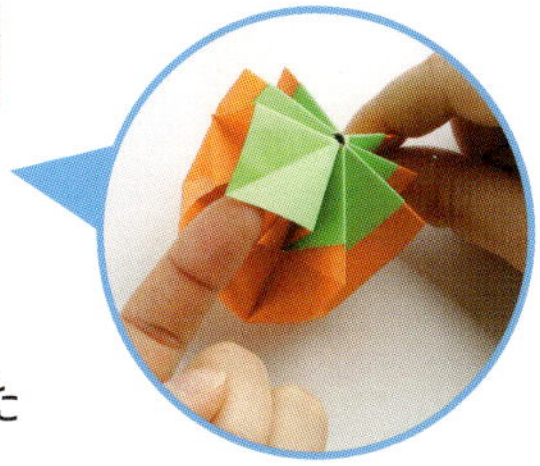

4かしょすべてをひきだす

11

できあがり

原案　内山興正

いろんなくだものができたね!

ジャーン

いろんなしゅるいを つくってみよう!

ケーキ

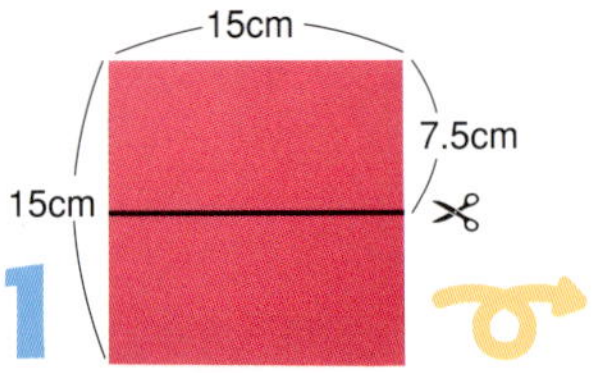

1

たて、よこ15センチメートルのおりがみを、はんぶんにきる

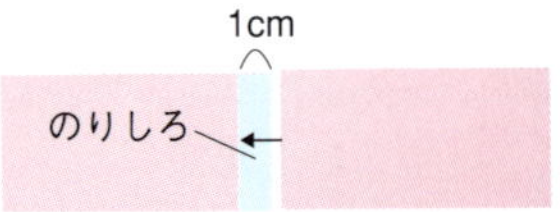

2

きったかみを、のりしろではりつける

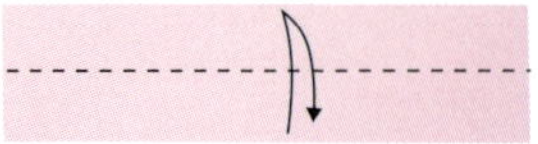

3

はんぶんにおって、もどす

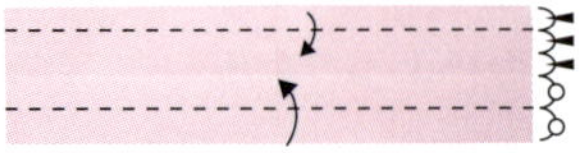

4

てんせんのところでおる

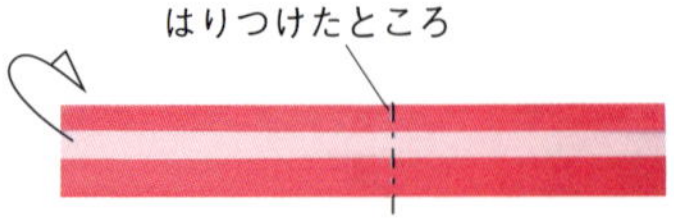

5

てんせんのところでおる

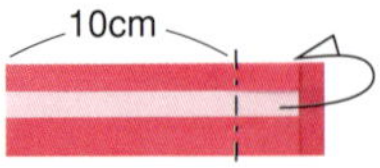

うらもおって、
さしこむ

6

てんせんのところでおる

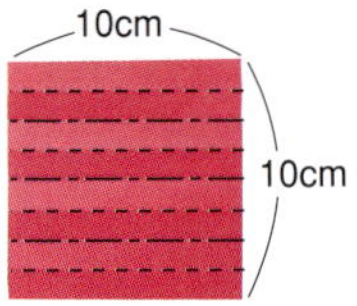

7

たて、よこ10センチメートルのおりがみを、じゃばらおりにする

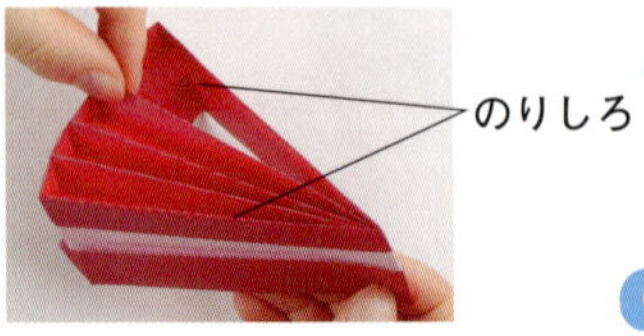

8

7を6の中《なか》にはりつける

あまったかみで、
いちごなどをつくって
のせちゃおう

9

できあがり　原案　中島進

おちゃにぴったり かわいい わがしだよ

だんご

かんたん はさみ

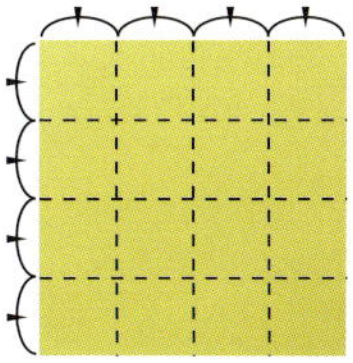

1

てんせんのところでおって、おりせんをつける

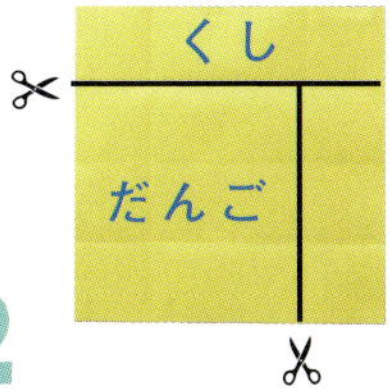

2

はさみできる

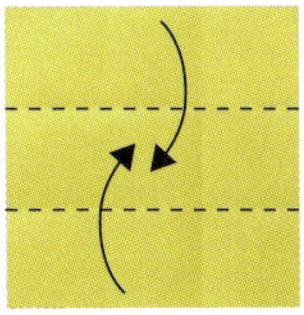

3

2のだんごのかみを、てんせんのところでおる

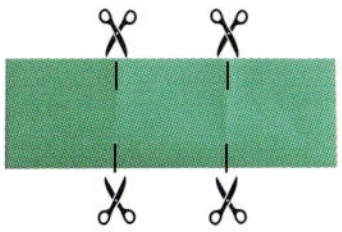

4

きりこみをいれる

5

きりこみをいれたぶぶんをおる

6

おったところ

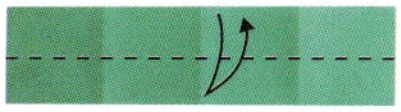

7

2のくしのかみを、はんぶんにおって、もどす

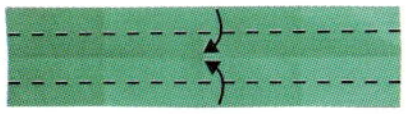

8

まんなかまでおる

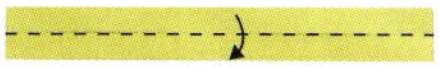

9

はんぶんにおる

10

おったところ

11

10を6にはりつける

12

できあがり

原案 中島進

おもちを はっぱで じょうずにつつもう！

さくらもち

かんたん　2まいのかみで　はさみ

※写真のおもちは15×15センチメートル、はっぱは12×12センチメートルの紙で作っています。

おもち

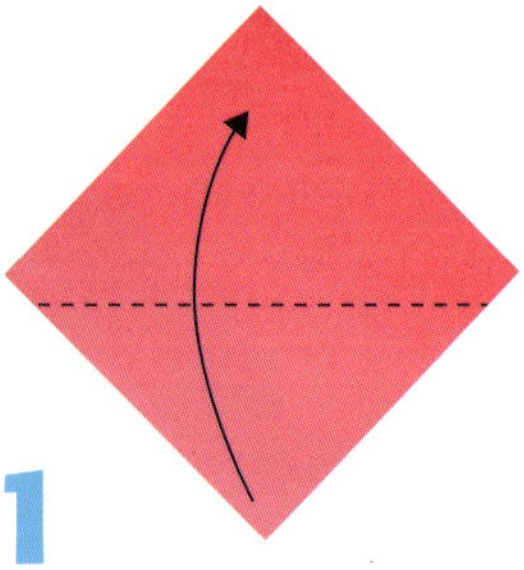

1
てんせんのところで
おる

2
ティッシュペーパーを
まるめて、中《なか》にいれる

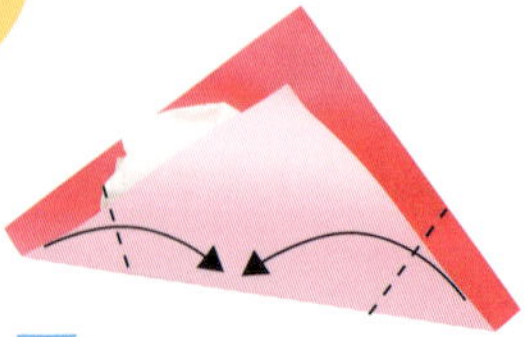

3
りょうはしをおる

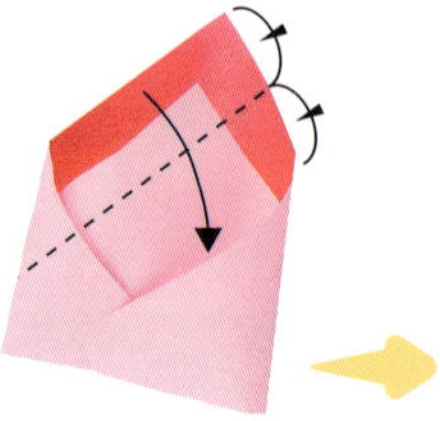

4
てんせんのところで
おる

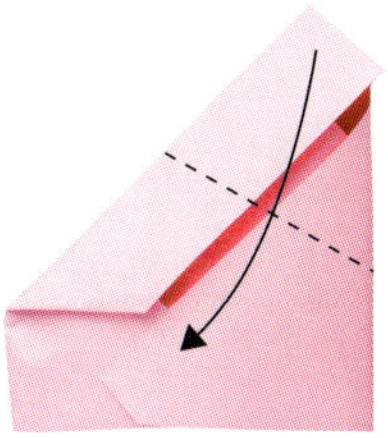

5

ななめにおる

6

やまおりして、中《なか》にさしこむ

7

おもちのできあがり

はっぱ

●おもちよりすこし小《ちい》さいかみでつくります

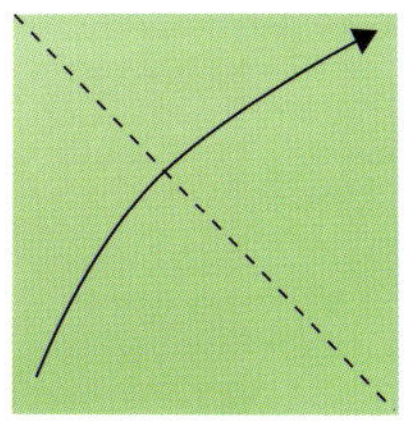

1

はんぶんにおる

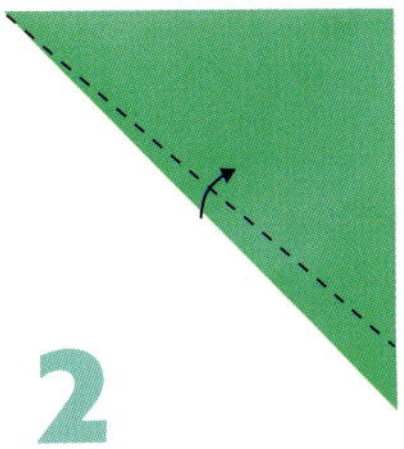

2

ななめにおる

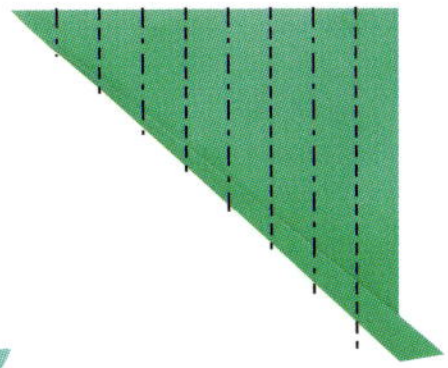

3

じゃばらおりする

4

おったところ

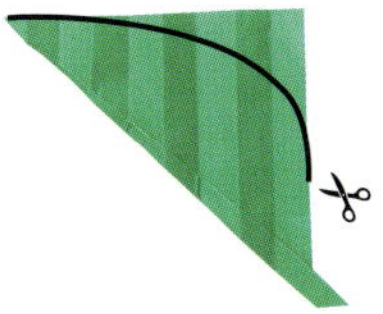

5

3にもどし、かどをまるくきる

6

5をひらいて はっぱのできあがり

7

はっぱで、おもちをつつむ

8

はっぱのさきを、のりでとめる

できあがり

※写真は、15センチメートル四方の紙と、10センチメートル四方の紙で作っています。

がくと はっぱも いっしょにつくろう

あさがお

● 大《おお》きさのちがう2まいのかみでつくります

はな

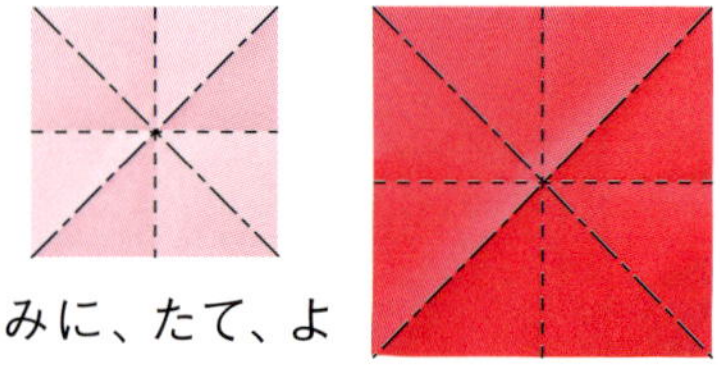

1
2まいのかみに、たて、よこ、ななめのおりせんをつける

2
2まいのかみをはりつける

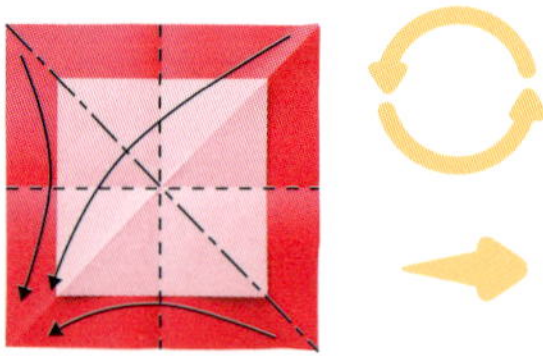

3
「四《し》かくおり（13ページ）」をつくる

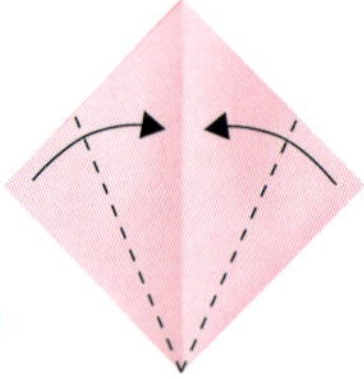

4
てんせんのところでおる。うらもおなじようにおる

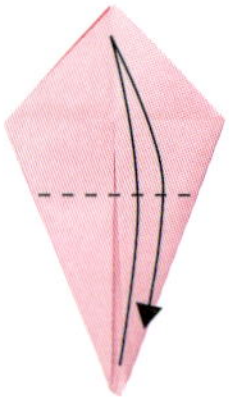

5
はんぶんにおって、もどす

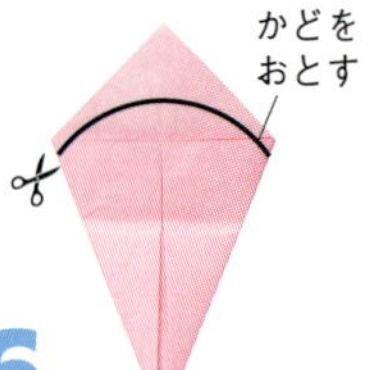

6
はさみできる

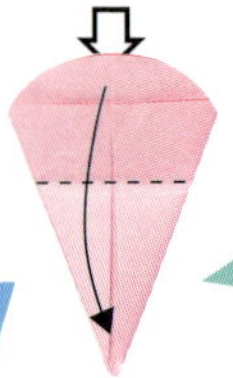

7
ひらきながら、かたちをととのえる

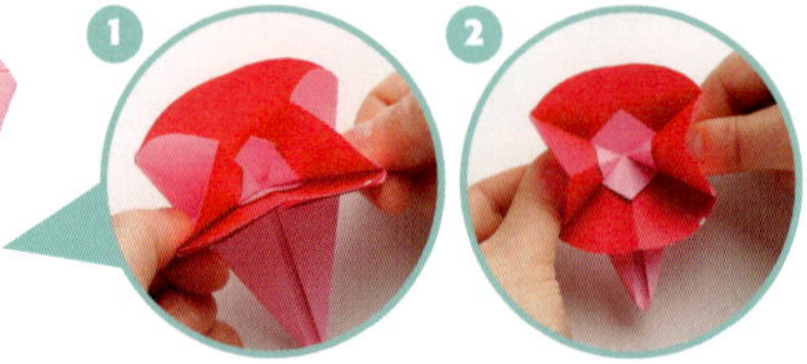

ひらいているところ

8
はなのできあがり

がく

●たて、よこ3～5センチメートルくらいの小《ちい》さなかみでつくる

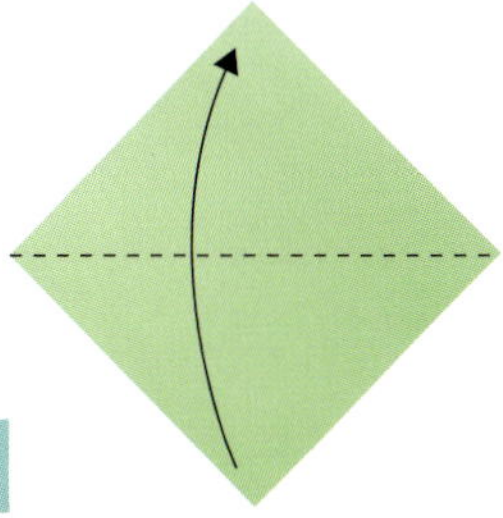

1 はんぶんにおる

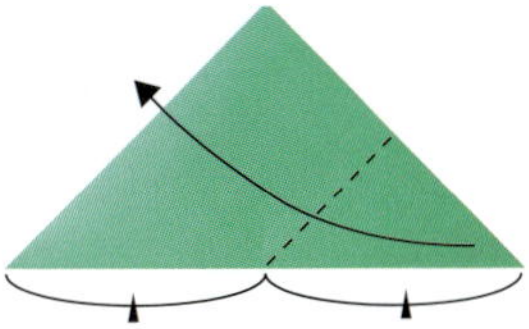

2 てんせんのところでおる

3 2でおったところにあわせて、やまおりする

ここをひろげて、
はなをさしこむ

4 がくのできあがり

はっぱ

●たて、よこ5～10センチメートルくらいのかみでつくる

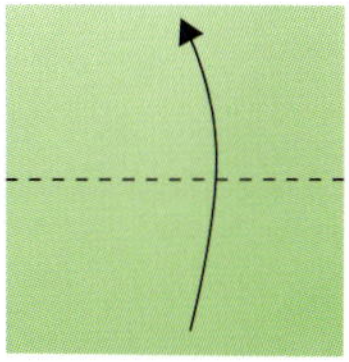

1 はんぶんにおる

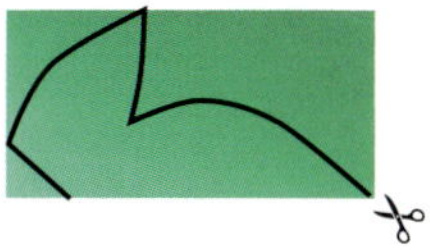

2 はさみできる

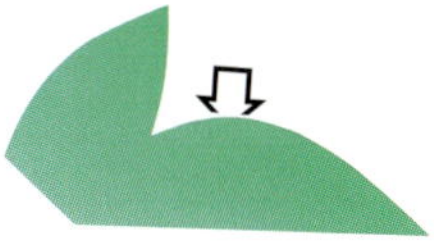

3 ひらく

4 はっぱのできあがり

たくさんつくって
あさがおの
かきねをつくろう

できあがり

へんしん

◆カーネーション◆

1まいのおりがみで、
はなの3～5をおって
からはじめます

1 はさみでぎざぎざにきる

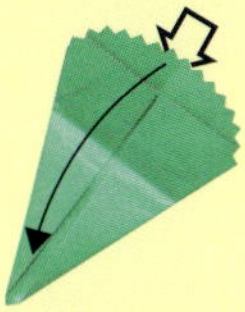

2 あさがおとおなじように、ひらく

3 できあがり

赤《あか》いおりがみで つくると きれいだよ

つばき

ふつう

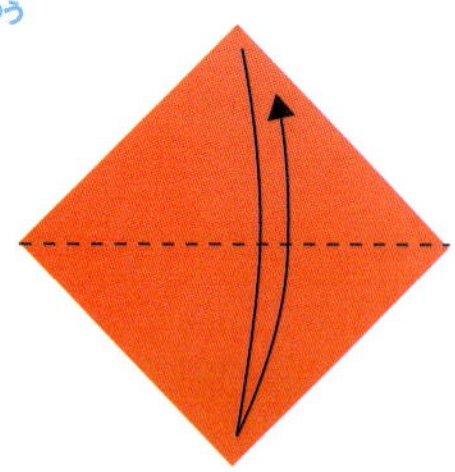

1

はんぶんにおって、もどす

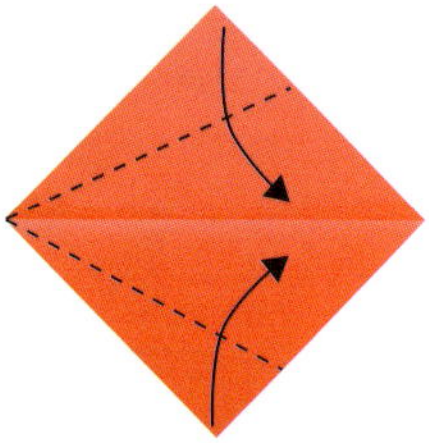

2

まんなかまでおる

3

おったところ

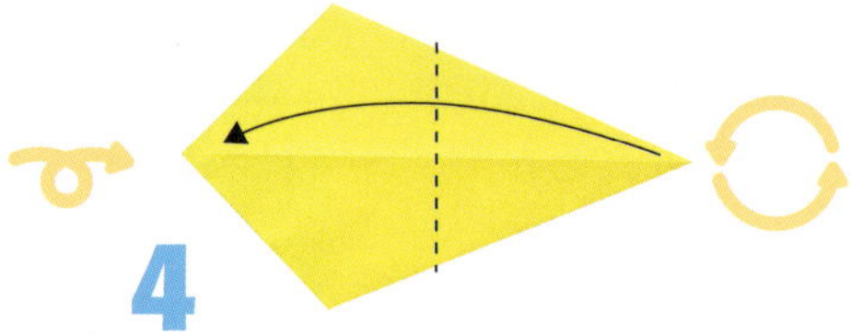

4

はんぶんにおる

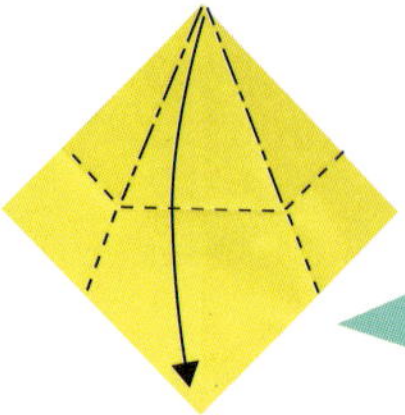

5

いちどぜんぶひらいて、
おりせんにそってたたむ

たたんでいるところ

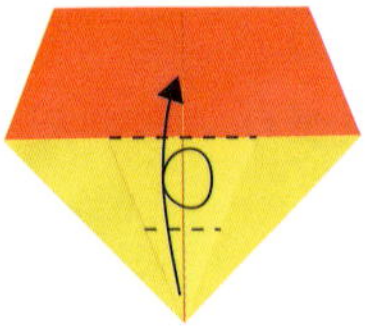

6

まきおりする

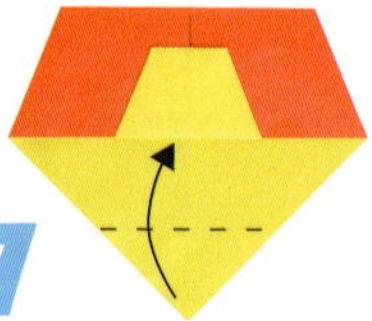

7

まんなかまでおる

8

てんせんのところでおる

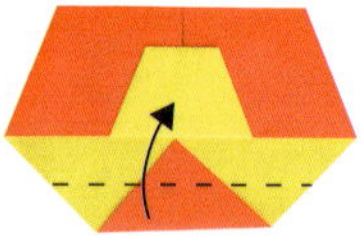

9

うしろにおる

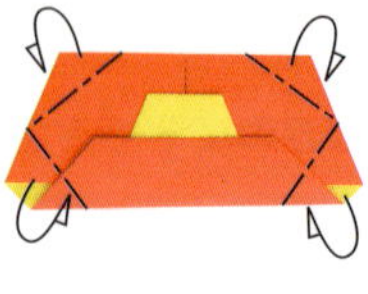

10

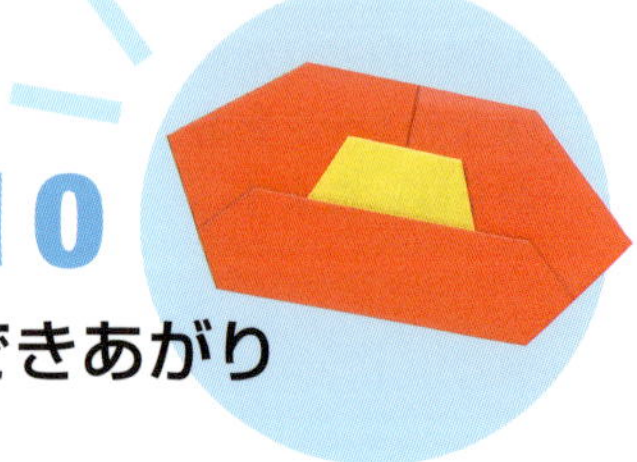

できあがり

ふじいろの おりがみで つくろう

あやめ

かんたん　はさみ

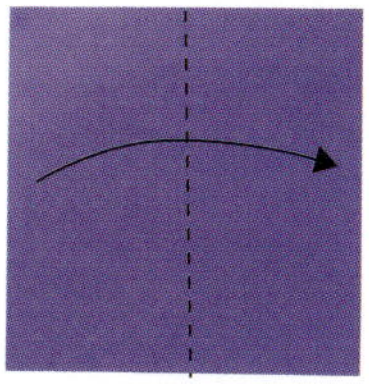

1

はんぶんにおる

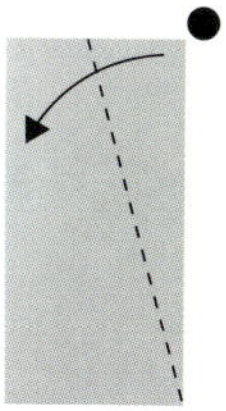

2

●が左《ひだり》のはしにつくようにおる

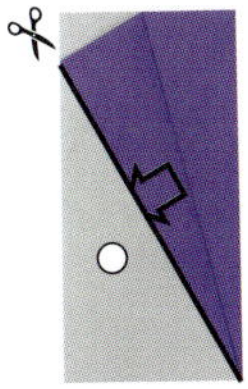

3

はさみできって、○をひらく

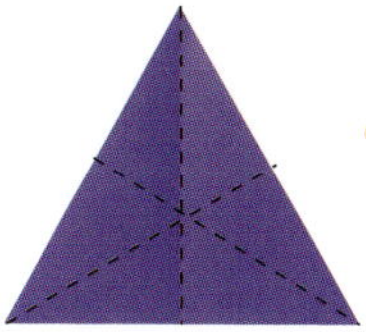

4

てんせんのところでおりせんをつける

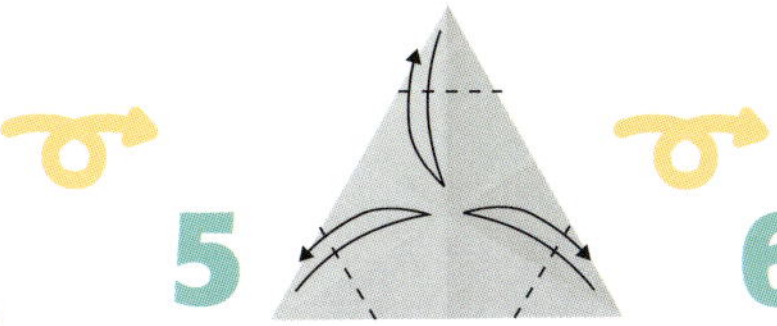

5

まんなかまでおって、もどす

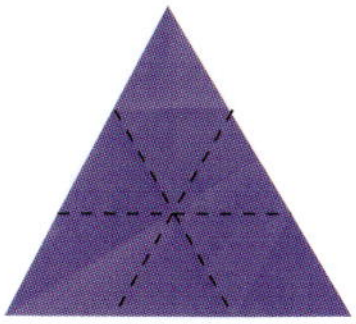

6

てんせんのところでおりせんをつける

7

おりせんにそって、たたむ

たたんでいるところ

8

できあがり

おみせやさんごっこをしよう！

おみせと、いろいろなうりものをつくって、
おりがみのまちをつくっちゃおう！

やおや
123
だいこん
→48ページ
にんじん
→48ページ
かき→52ページ
もも→49ページ
くだもの
さくらんぼ→50ページ

シャツ→42ページ
ようふく
ハンドバッグ
→34ページ
リボン→5ページ
あやめ→61ページ
おはな
チューリップ
→11ページ
だんご
→55ページ
あさがお→58ページ
おかし
さくらもち
→56ページ
ケーキ
→54ページ

おみせのつくりかた

かんたん

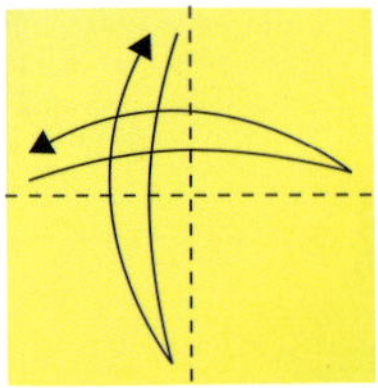

1 たて、よこにおって、もどす

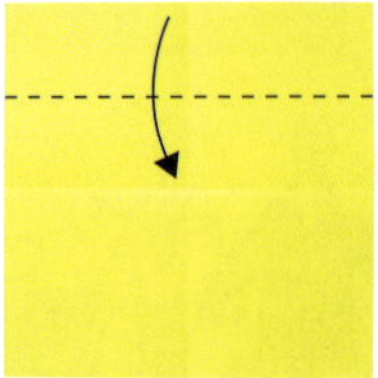

2 まんなかまでおる

3 おったところ

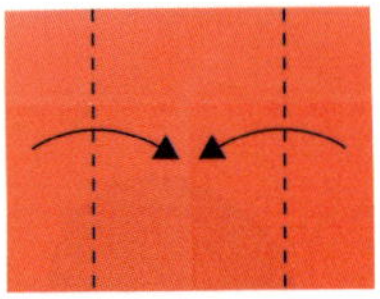

4 まんなかまでおる

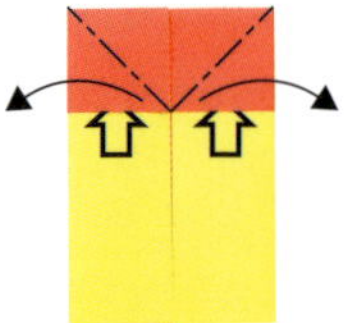

5 やじるしのところをひらく

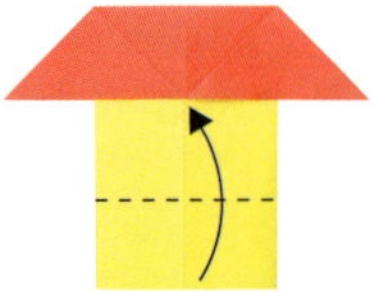

6 はんぶんにおる

はなやさん

7

やねにかんばん、下《した》がわにえをかいて

できあがり

ぼくのおみせ
かっこいい？
じぶんだけのおみせが
できちゃった！

4
しょう

かっこいい！

のりもの おりがみ

にんきの ふねや ひこうきが だいしゅうごう
せかいいっしゅう できちゃうね

かっこいい 2つのヨットが つくれるよ

ヨット

かんたん

ヨット1

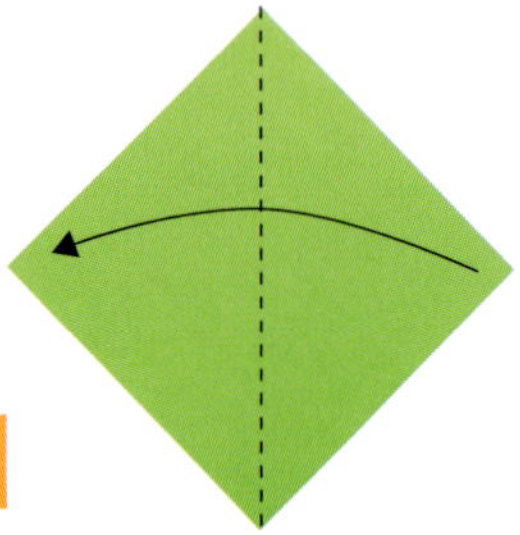

1

はんぶんにおる

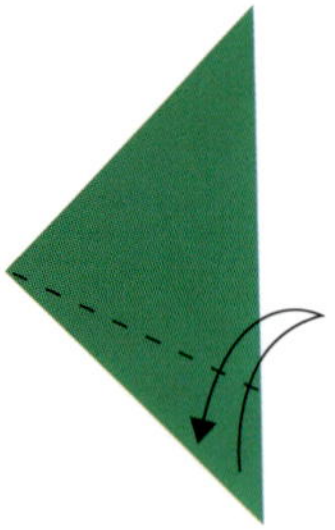

2

まんなかまでおって、もどす

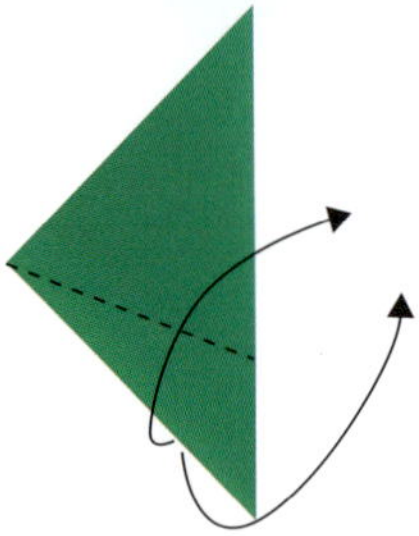

3

2のおりせんをつかって、かぶせおりをする

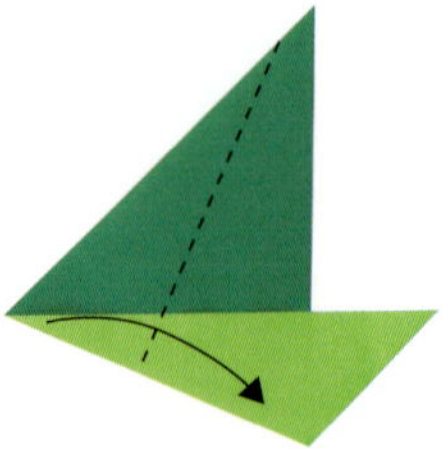

4

上《うえ》の1まいをてんせんのところでおる

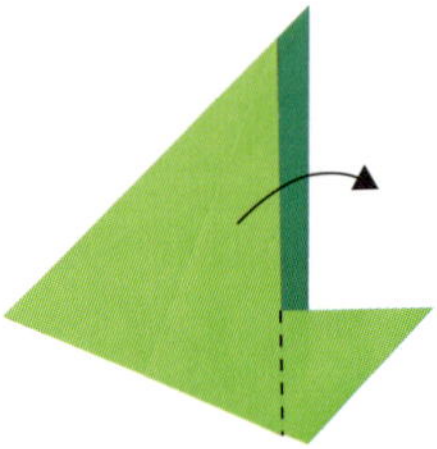

5

てんせんのところでおる

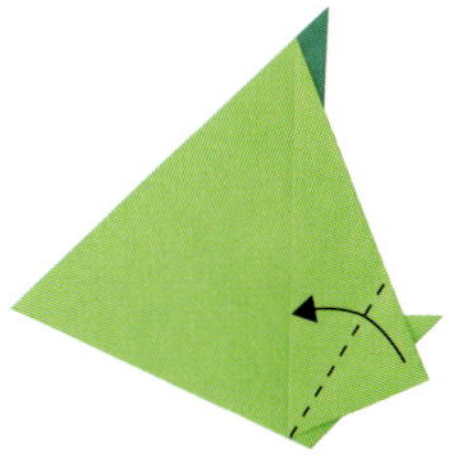

6

てんせんのところでおる

7

おったところ

8

できあがり

ヨット2

● **ちょうほうけいのかみでつくります**

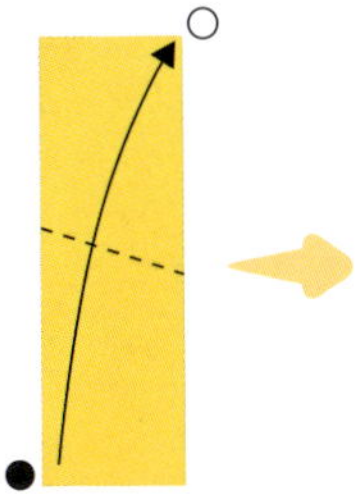

1

●と○がかさな
るようにおる

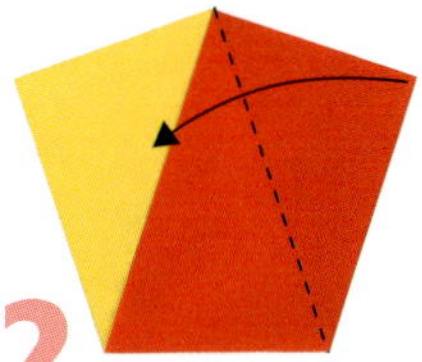

2

てんせんのところ
でおる

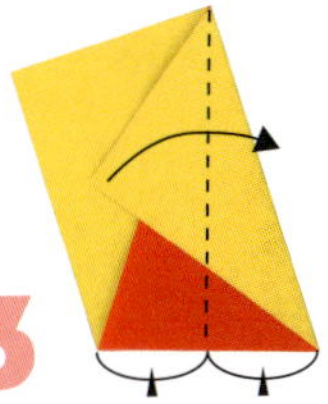

3

まんなかでおり
かえす

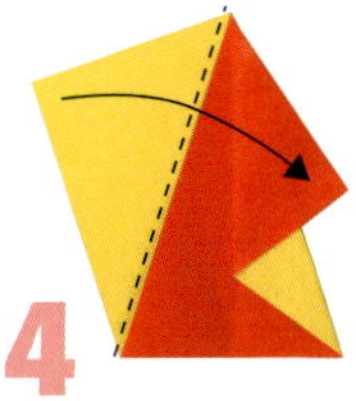

4

てんせんのところ
でおる

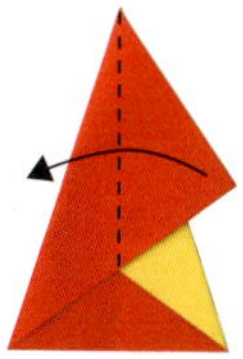

5

まんなかでおり
かえす

6

てんせんのところ
で、やまおりする

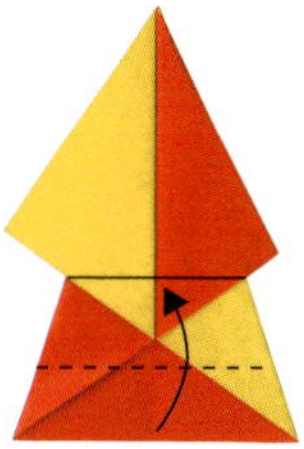

7

ふといせんのとこ
ろまでおる

8

さきをすこしやま
おりする

9

できあがり

うまく ひっくりかえせるかな？

ボート

ふつう

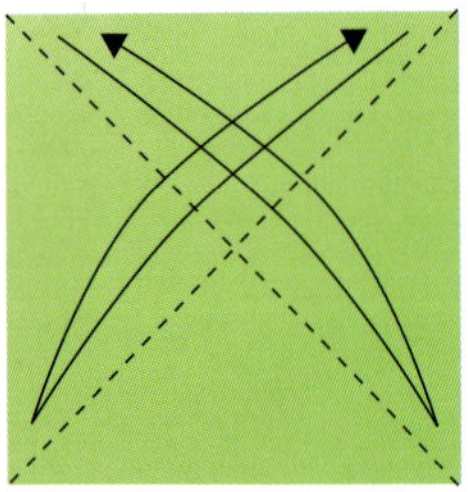

1

ななめにおって、もどす

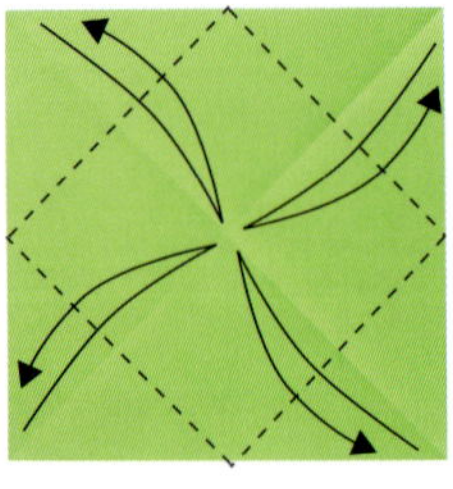

2

まんなかにむけておって、
もどす

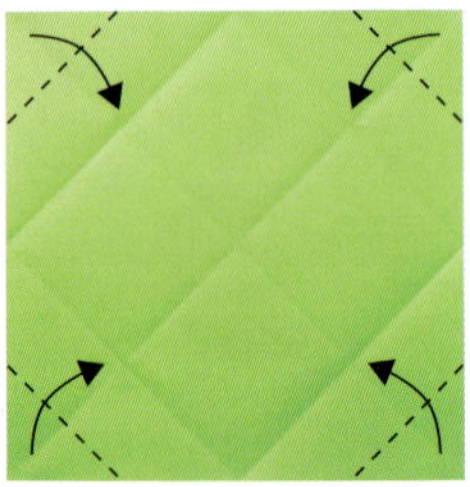

3

おりせんまでおる

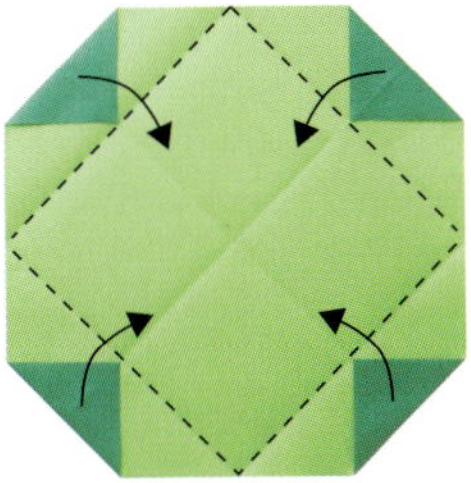

4

おりせんのところでおる

5

おったところ

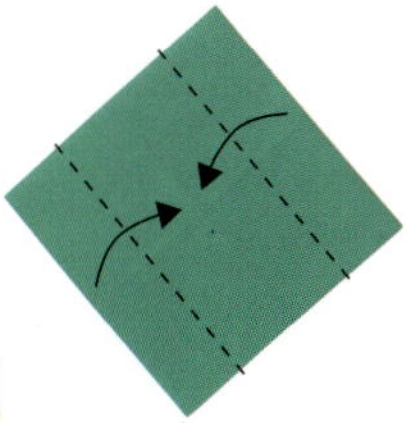

6

まんなかまでおる

7

かどを三《さん》かくけいにおる

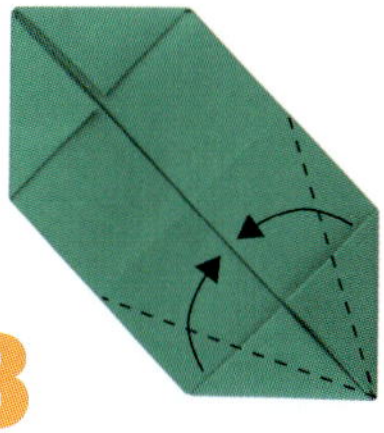

8

まんなかまでおる

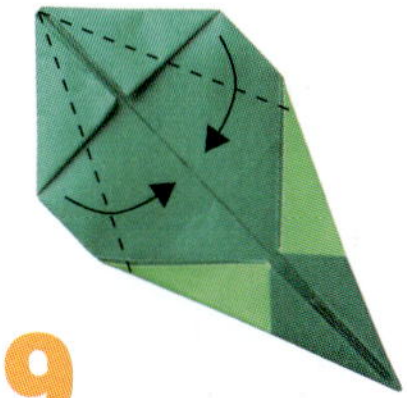

9

まんなかまでおる

10

まんなかでおる

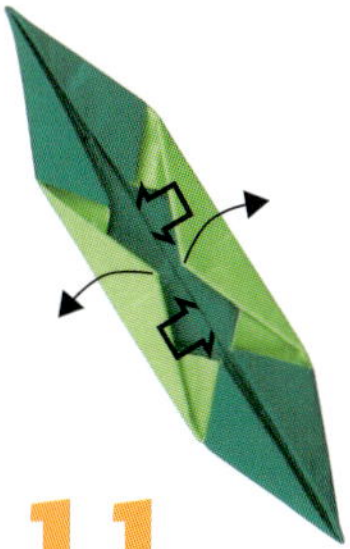

11

やじるしのところにゆびをいれて、ひろげる

ひろげているところ

12

ひろげたところ

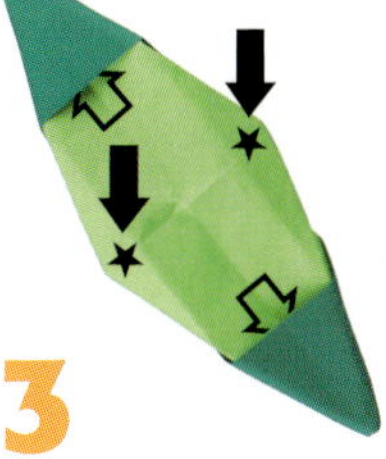

13

★をおしこんで、ぜんたいをひっくりかえす

ひっくりかえしているところ

14

できあがり

たくさんつくって　つなげて　あそぼう

でんしゃ

むずかしい

● はんぶんにきったおりがみでつくります

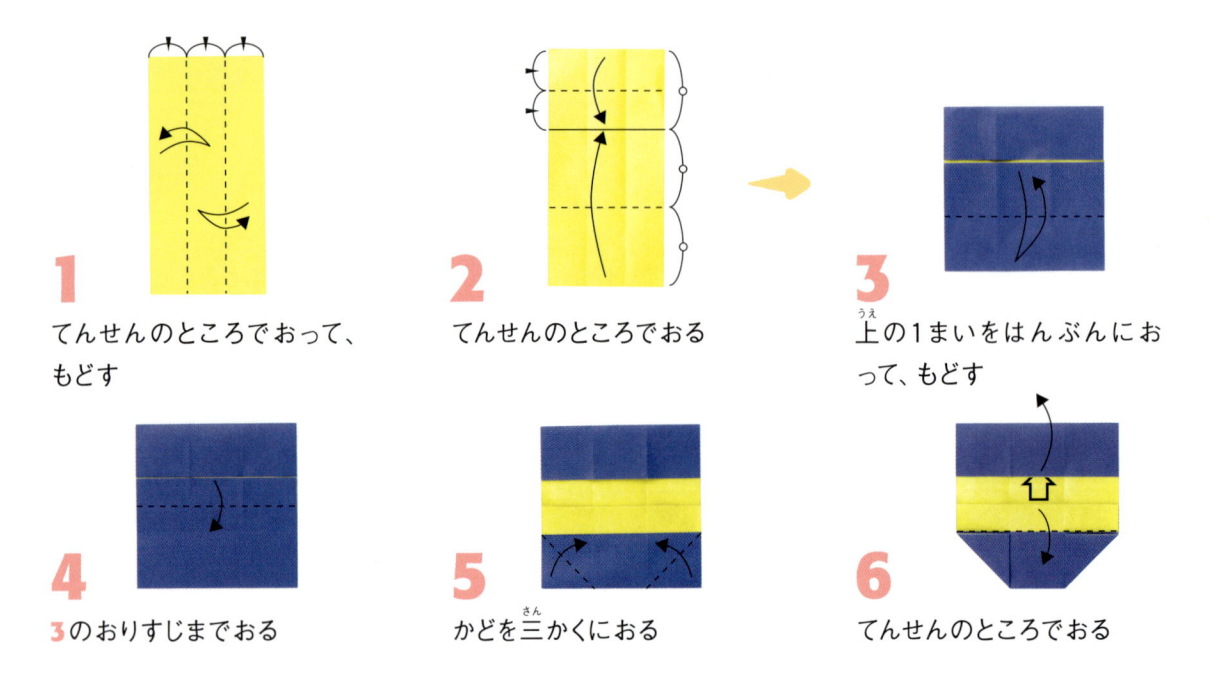

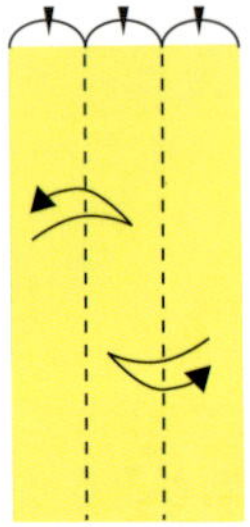

1

てんせんのところでおって、
もどす

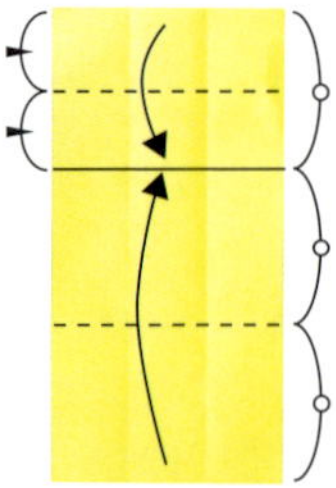

2

てんせんのところでおる

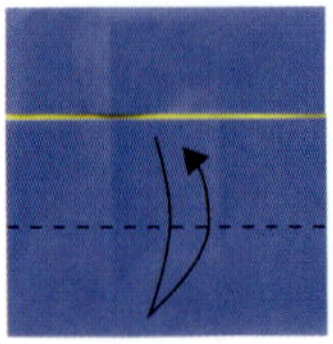

3

上《うえ》の１まいをはんぶんにおって、もどす

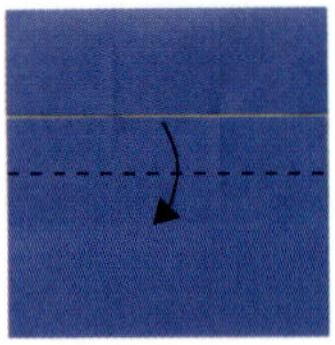

4

3のおりすじまでおる

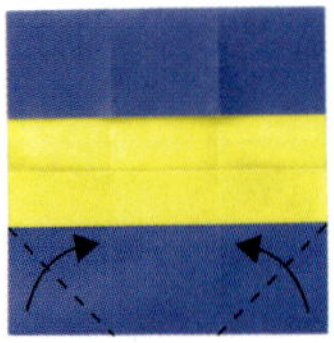

5

かどを三《さん》かくにおる

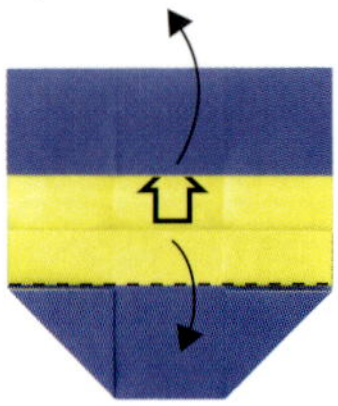

6

てんせんのところでおる

おっているところ

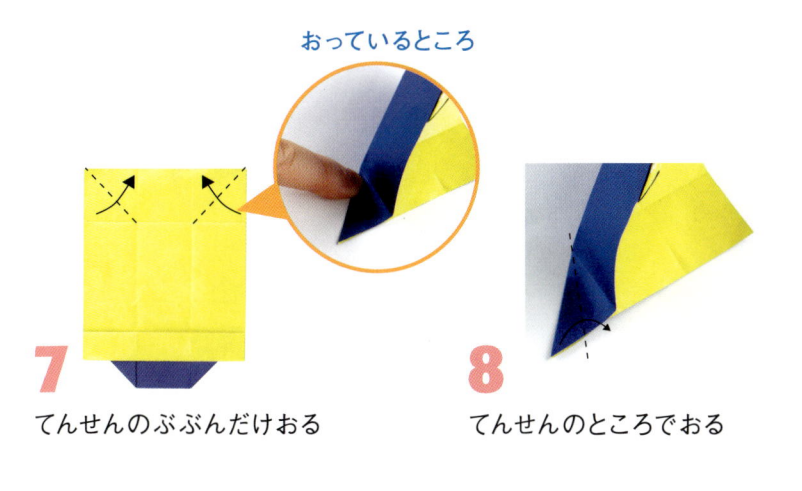

7

てんせんのぶぶんだけおる

8

てんせんのところでおる

9

7にもどして、はんたいがわの
かども、おなじようにおる

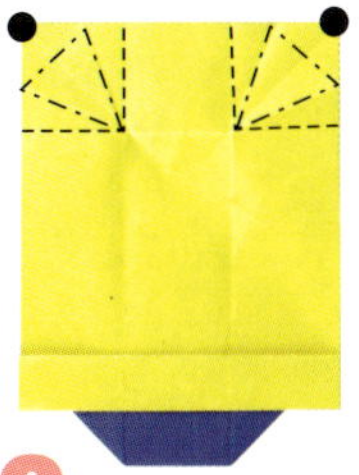

10

おりせんにそって
たたむ

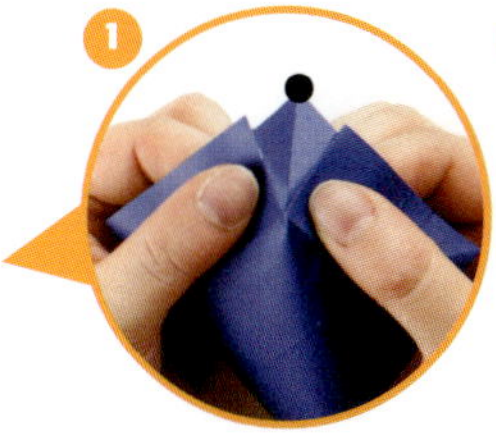

1 たたんでいる
ところ

2 ●のぶぶんは、
たたんだあとそ
とがわにおる

11

はんたいがわも、おなじよう
におる

かたちをととのえる

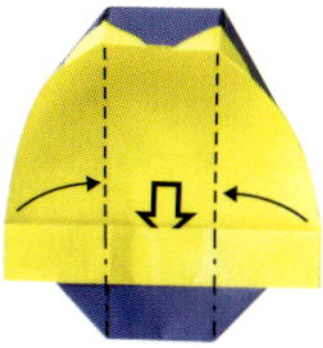

12

やじるしのところにゆびを
いれて、ひきだす

13

できあがり

大《おお》きなおりがみでつくる
とかっこいいね！

おまわりさんの えをかこう

パトカー

ふつう

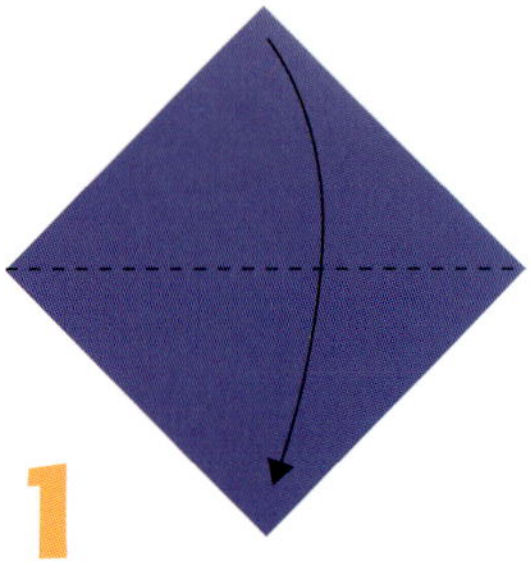

1

はんぶんにおる

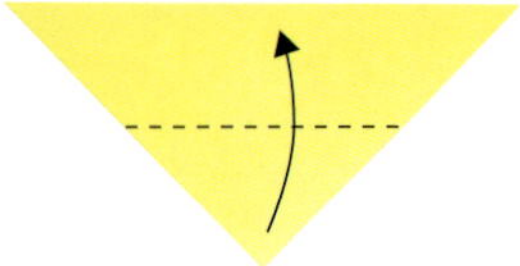

2

上《うえ》の1まいを、はんぶんにおる

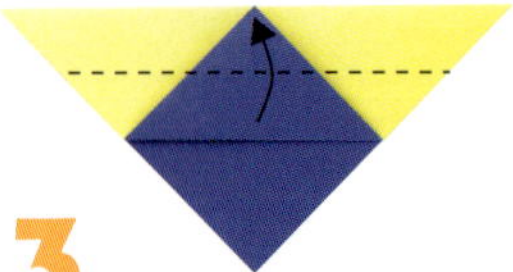

3

もういちど、はんぶんにおる

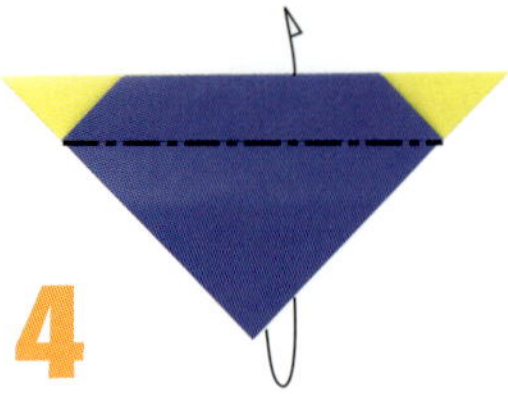

4

3のおりせんにあわせて、やまおりする

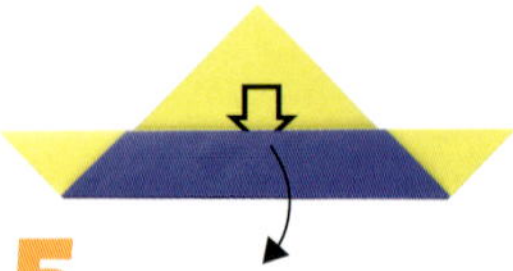

5

上《うえ》の1まいをおり、ひらく

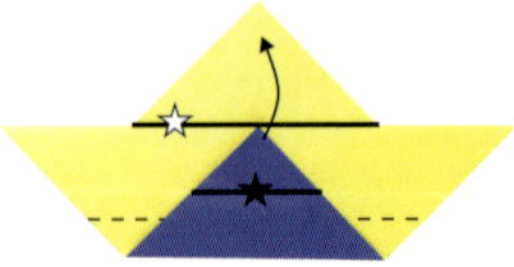

6

★と☆のせんがかさなるように三《さん》かくを上《うえ》にひっぱる

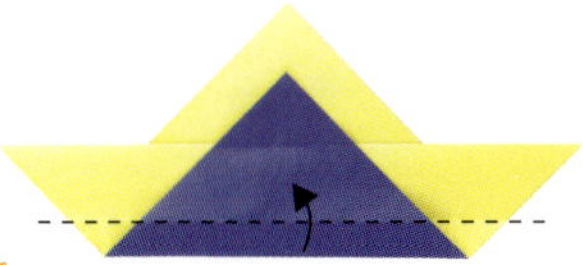

7

てんせんのところでおる

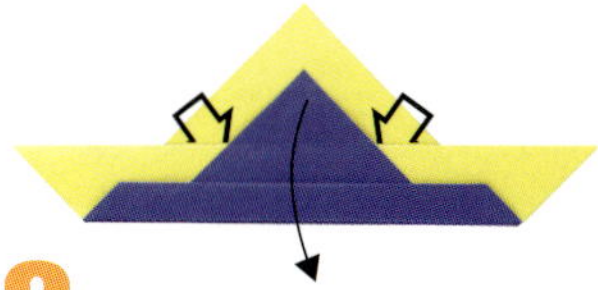

8

やじるしのぶぶんにゆびをいれて、ぜんたいをひらく

9

小《ちい》さい三《さん》かくを、てんせんのところでおる

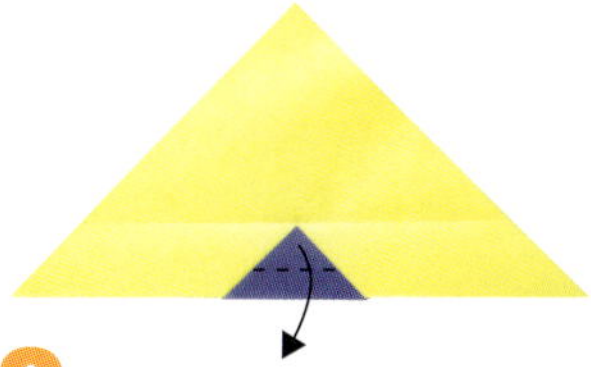

10

さきが、はみだすようにおる

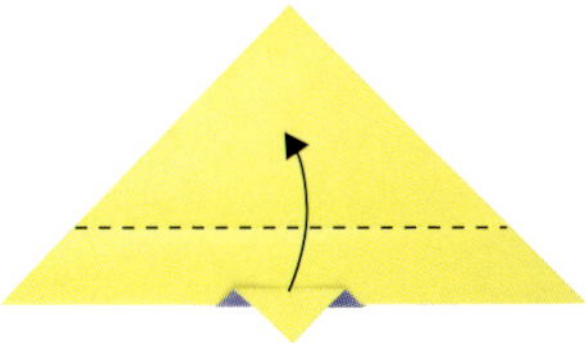

11

てんせんのところでおって、8のかたちにもどす

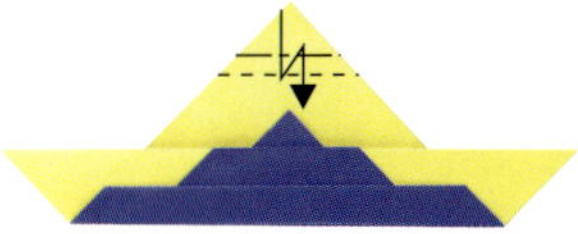

12

てんせんのところで、だんおりする

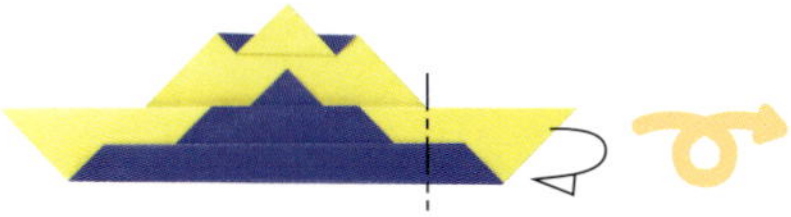

13

てんせんのところでおる

14

てんせんのところでおる

15

てんせんのところでおる

16

はんたいがわも13〜15のようにおる

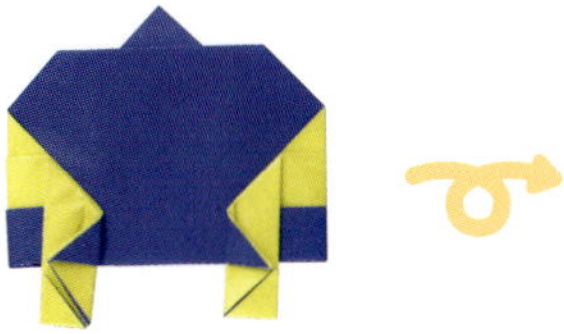

17

おったところ

18

おまわりさんのえをかいて

できあがり

とりみたいな かたちを しているよ

ひこうき

ふつう
はさみ

●ちょうほうけいの
かみでつくります

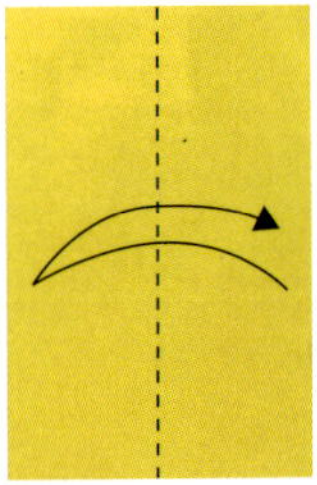

1

はんぶんにおって、
もどす

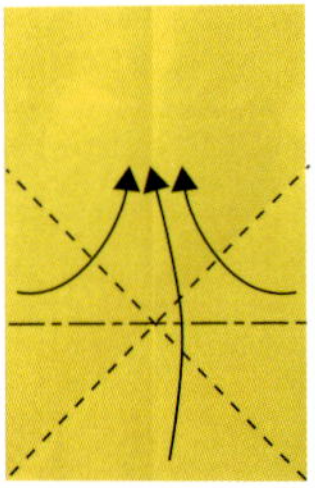

2

「三《さん》かくおり（13ページ）」
をつくる

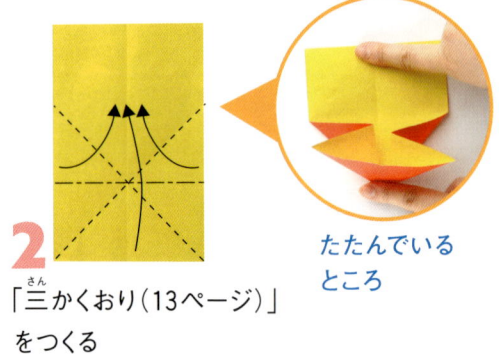

たたんでいる
ところ

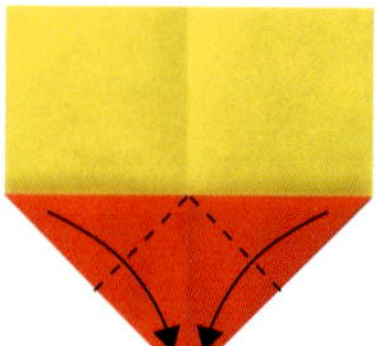

3

上《うえ》の1まいをまんなか
までおる

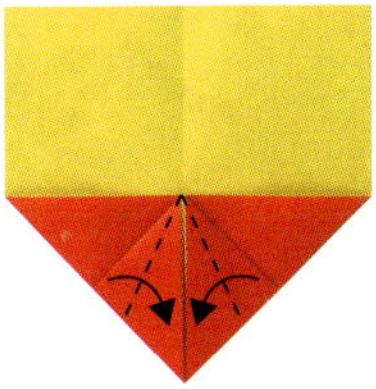

4

3 でおったところを、
はんぶんにおる

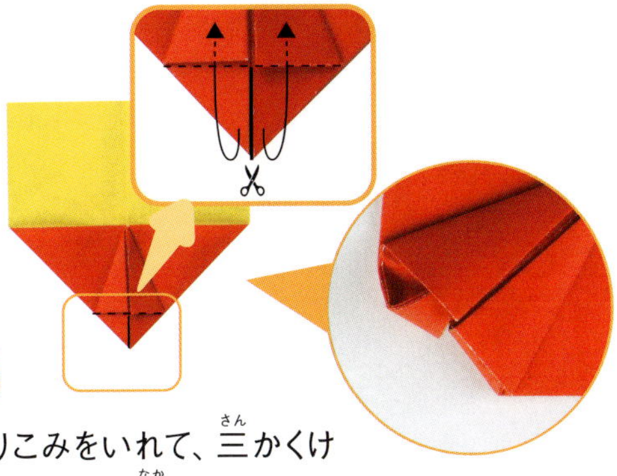

5

きりこみをいれて、三《さん》かくけいをふくろの中《なか》にさしこむ

さしこんでいる
ところ

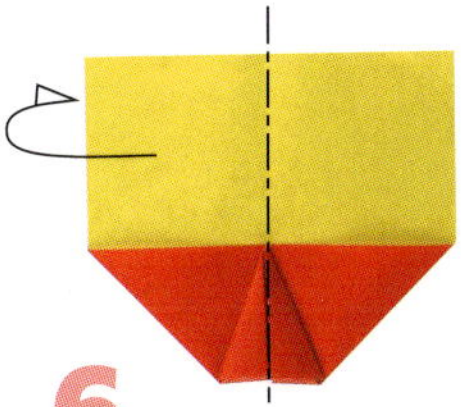

6

はんぶんにおる

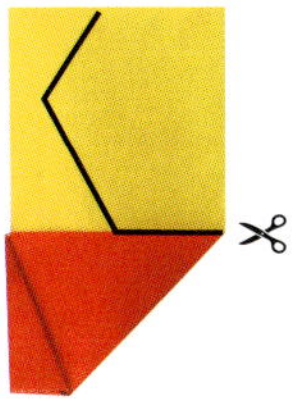

7

ひこうきのかたちに、はさみできる

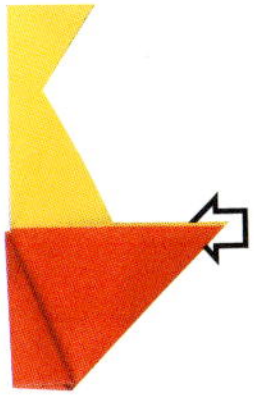

8

ひろげる

9

できあがり

★あそびかた★

しゃしんのようにもって、
とばしてあそぼう。

ビューン
どこまで
とばせるかな？

うちゅうりょこうに とびだそう

ロケット

● ななめに、はんぶんにきった
おりがみでつくります

かんたん

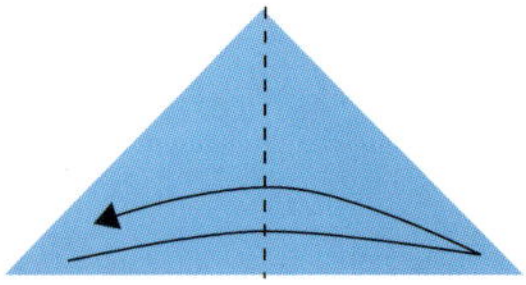

1

はんぶんにおって、
もどす

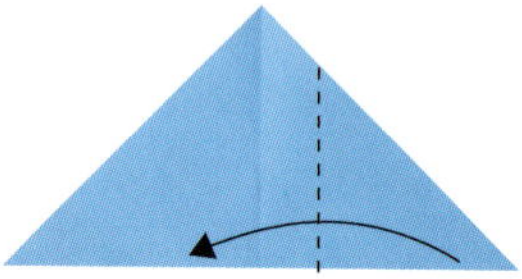

2

さきが、まんなかから
はみだすようにおる

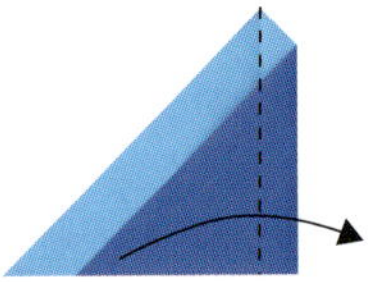

3

まんなかで、おりかえす

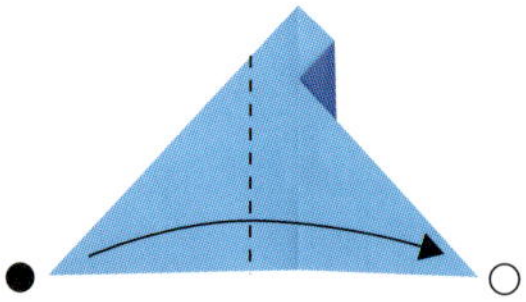

4

●と○があわさるよ
うにおる

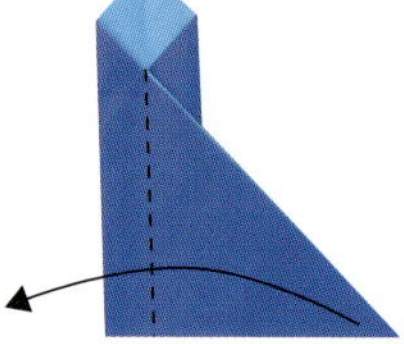

5

まんなかで、おりか
えす

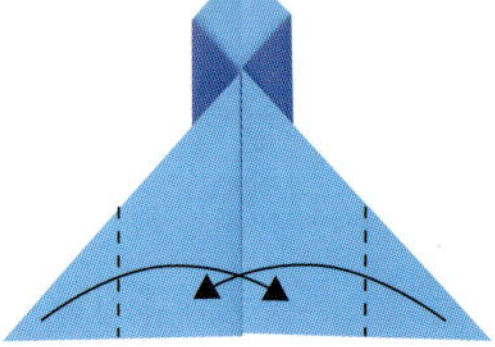

6

りょうがわを、まんなか
よりすこしさきまでおる

7

できあがり

5
しょう

かわいい！

どうぶつ おりがみ

いまにも うごきだしそうな どうぶつや とりがいっぱい！
どうぶつえんを つくろう

ちょっとすました かおが かわいいね

ねこ

かんたん

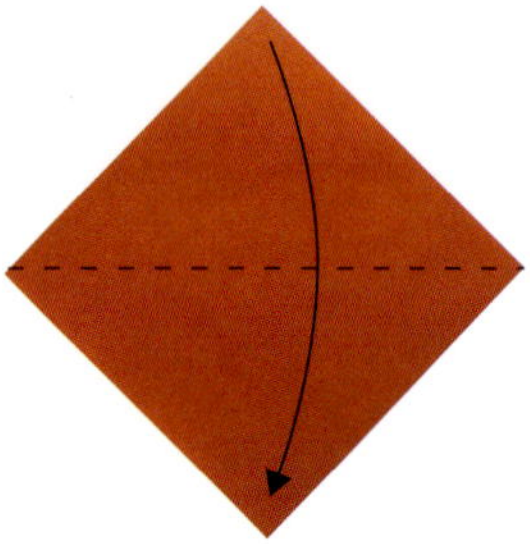

1

はんぶんにおる

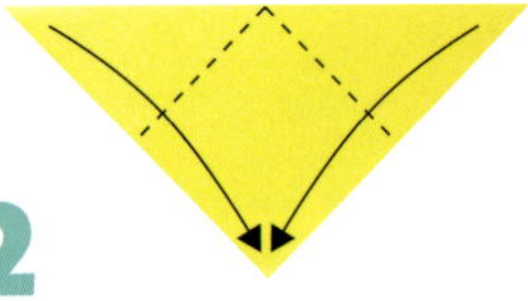

2

まんなかまでおる

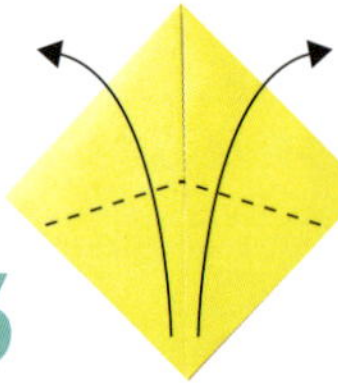

3

てんせんのところでおる

4

上《うえ》がたいらになるようにおる

5

おったところ

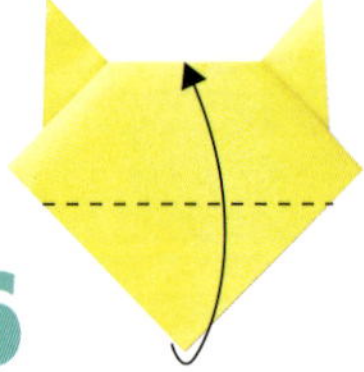

6

てんせんのところで、2まいいっしょにおる

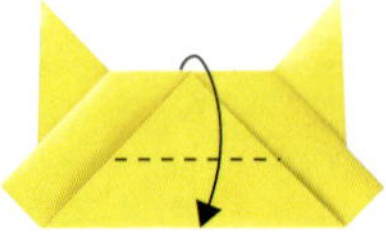

7

6でおった三《さん》かくを、下《した》までおりかえす

8

7でおった三《さん》かくを、てんせんのところでおる

9

やじるしのぶぶんをひらく

10

下《した》の三《さん》かくを、おりすじまでおる

11

上《うえ》の三《さん》かくを、てんせんのところでおる

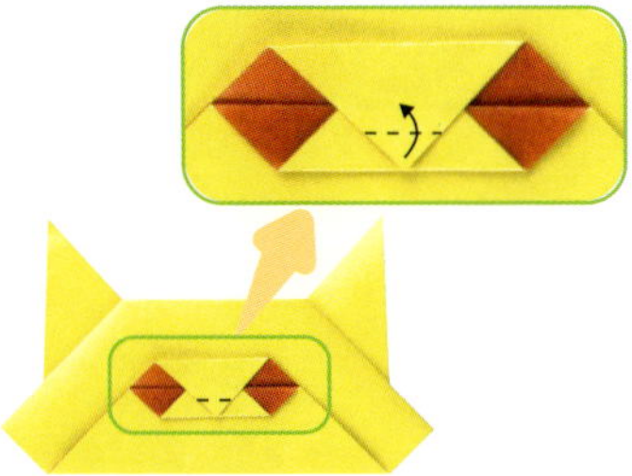

12

すこしだけおりかえす

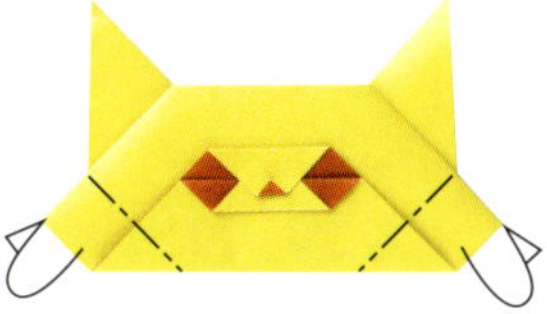

13

うらにおって、かたちをととのえる

14

かおをかいて

できあがり

かおの かきかたで くまにもなるよ

たぬき

かんたん　はさみ

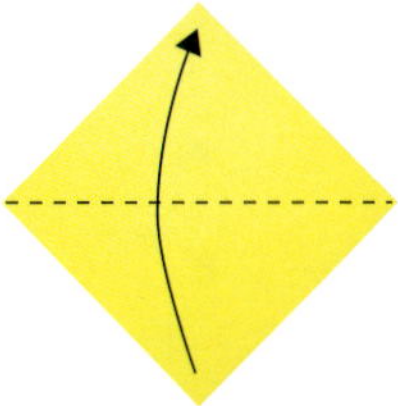

1

はんぶんにおる

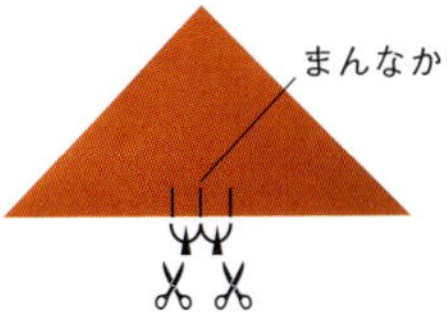
まんなか

2

まんなかからおなじいちできる

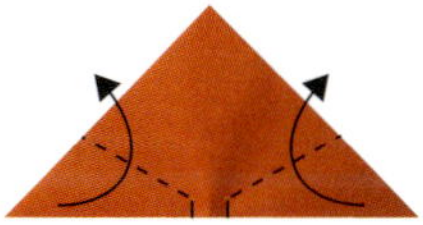

3

てんせんのところでおる

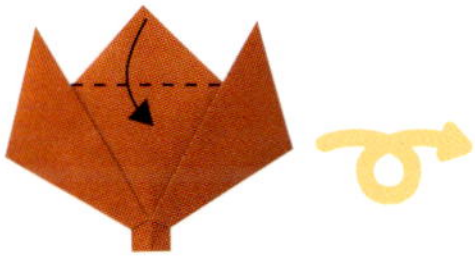

4

てんせんのところでおる

5

かおをかいて

できあがり

かおをかえれば、
くまのできあがり

おすわりの かっこうが かわいいね

いぬ

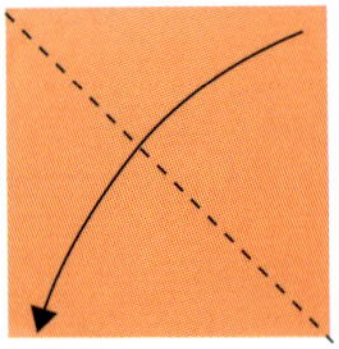

1

はんぶんにおる

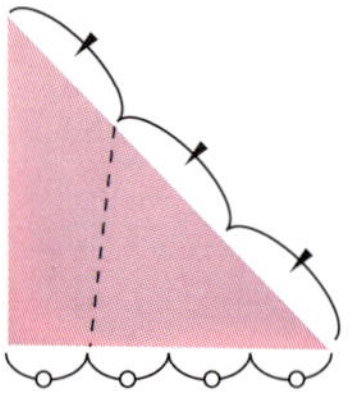

2

てんせんのところで
おりせんをつける

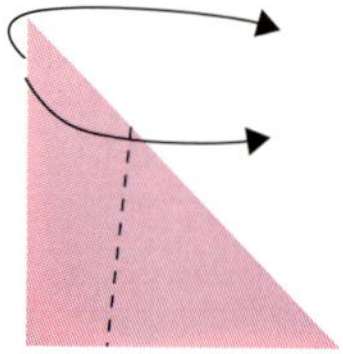

3

2のおりせんをつかって、かぶせおりする

4

てんせんのところで、
かぶせおりする

おっている
ところ

5

なかわりおりをしながら、だんおりする

6

はなを、うちがわに
たたむ

はなをつまんで、
すこしさげる

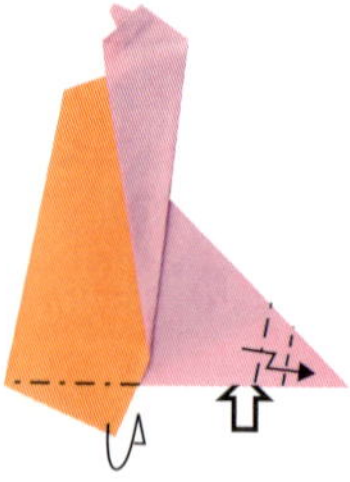

7

しっぽを5とおなじようにだんおりする。足《あし》は、
うちがわにたたむ

8

できあがり

しっぽを なびかせて はしっているよ

うま

ふつう　はさみ

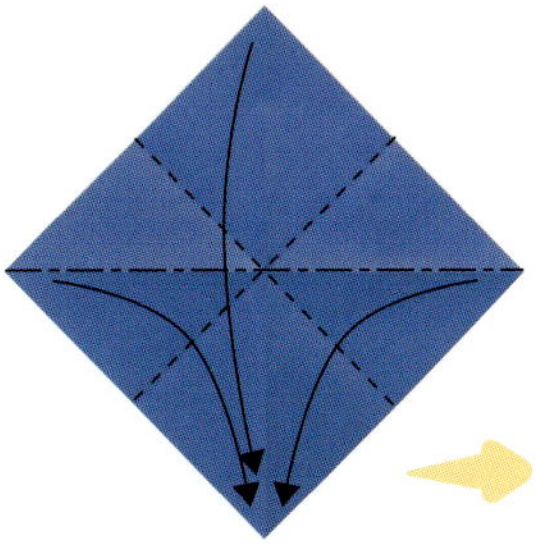

1

「四《し》かくおり（13ページ）」を
つくる

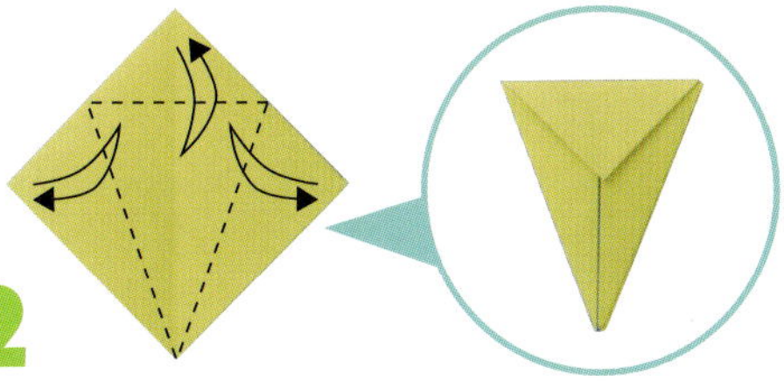

2

てんせんのところで、そ
れぞれおって、もどす

おったところ

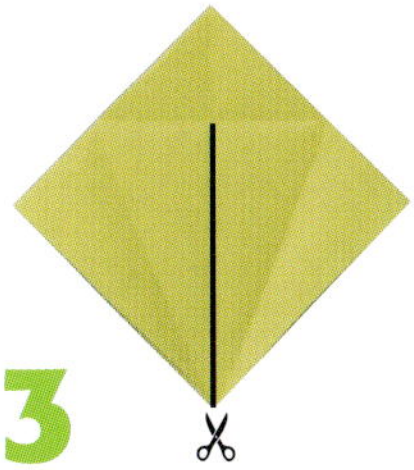

3

きりこみをいれる

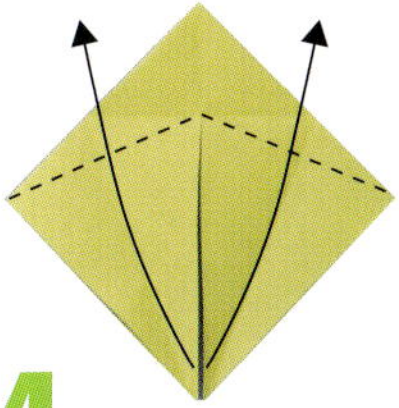

4

上《うえ》の1まいを、てんせんの
ところでおる

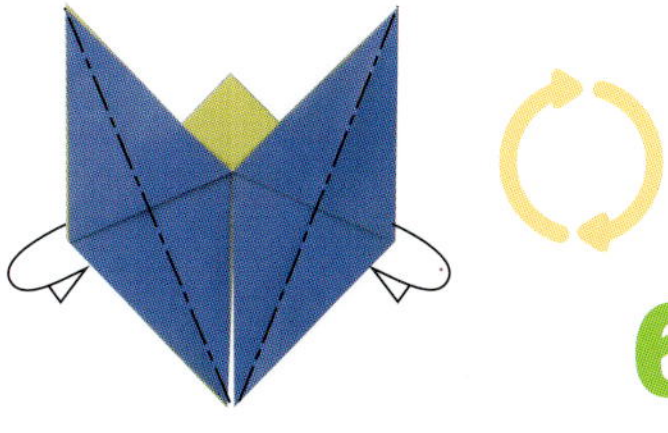

5

やまおりして、うちがわに
おりこむ。うらも**3**～**5**のよ
うにおる

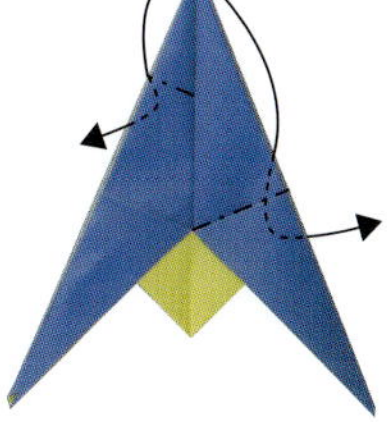

6

てんせんのところで、それぞ
れなかわりおりする

7

めをかいて
できあがり

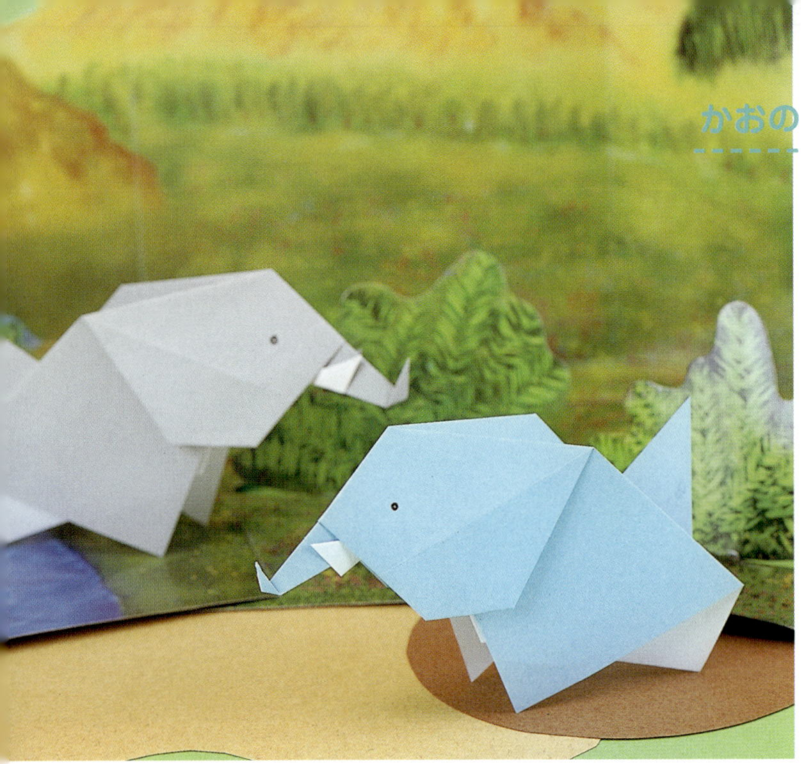

かおの つくりかたが ポイントだよ

ぞう

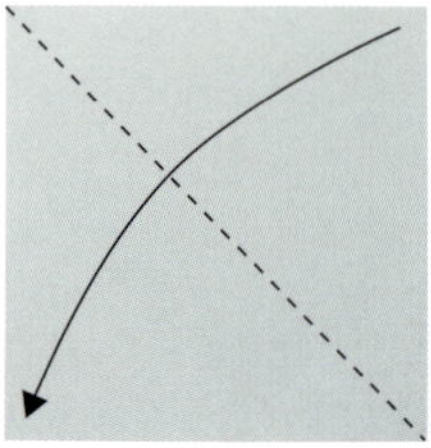

1

はんぶんにおる

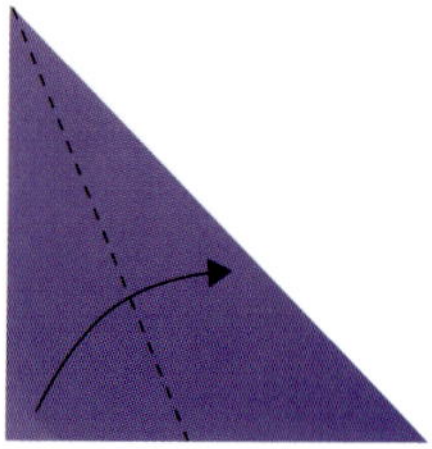

2

上《うえ》の1まいをまんなかまでおる。
うらもおなじようにおる

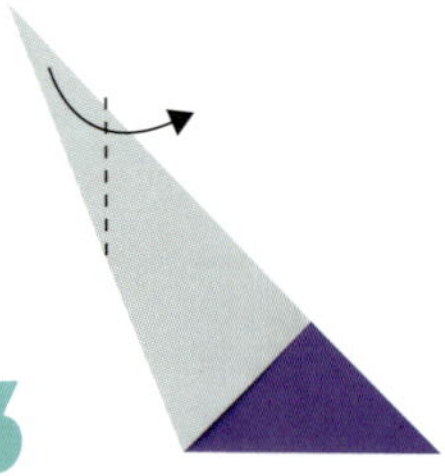

3

てんせんのところでおる

4

おったところ

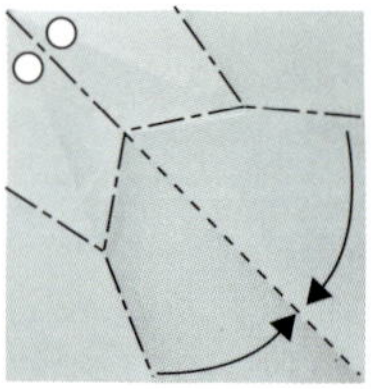

5

いちどひらき、おりせんをつかってたたむ

○をつまむ

てんせんのところでおしつぶす

○をダイヤのかたちにおる

6

おったところ

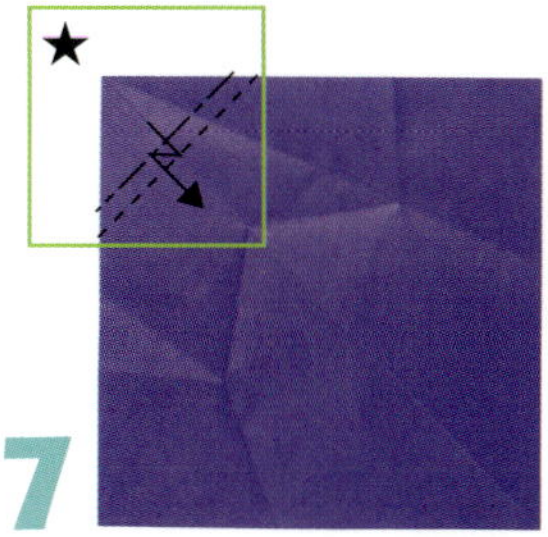

7

いちどひらいて、てんせんのところでだんおりする

8〜12は、★のぶぶんを大《おお》きくします

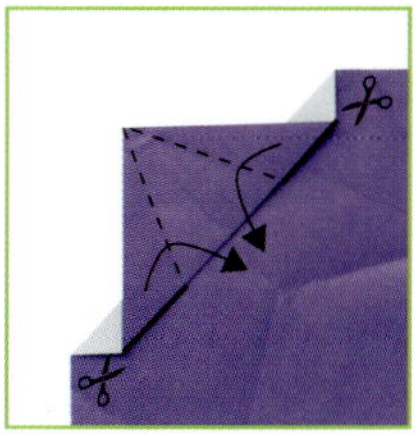

8

きりこみをいれて、てんせんのところをまんなかまでおる

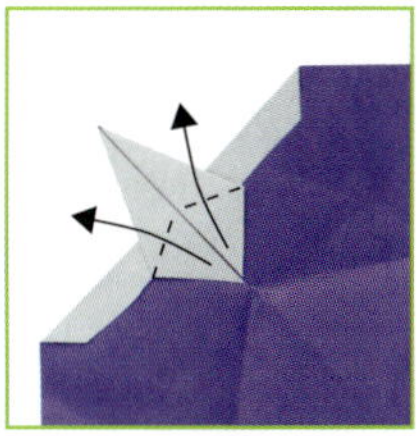

9

てんせんのところでおる

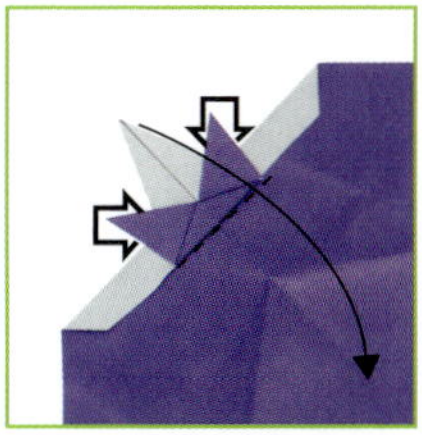

10

やじるしのところからひらく

11

てんせんのところでおる

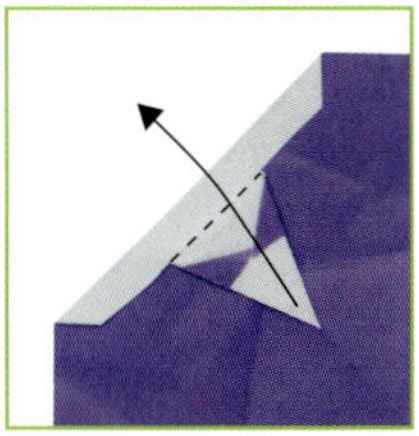

12

てんせんのところでおる

ぜんたいずにもどります

13

5のおりせんにそって、もとのかたちにもどす

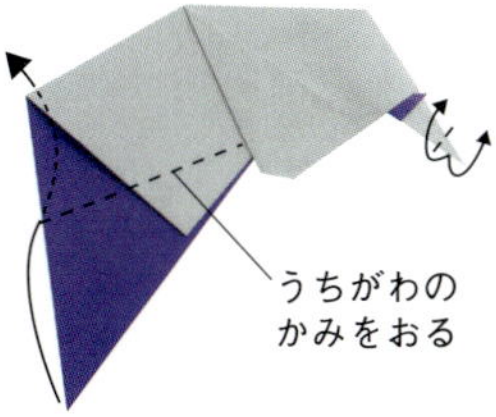

14

はなをかぶせおりして、しっぽをなかわりおりする

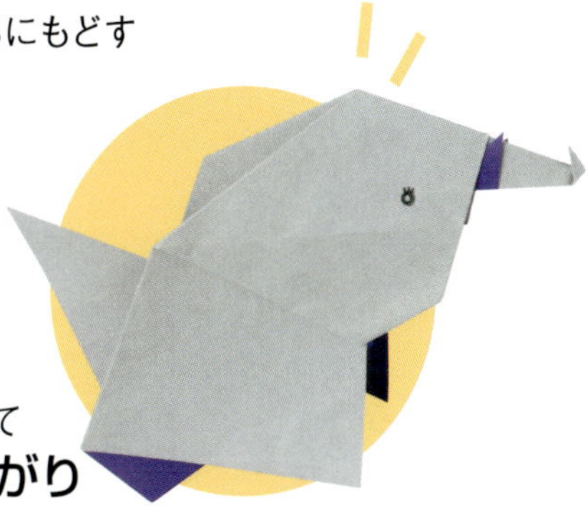

15

めをかいて

できあがり

みみをかえると いろんなどうぶつに なるね

うさぎ

かんたん　はさみ

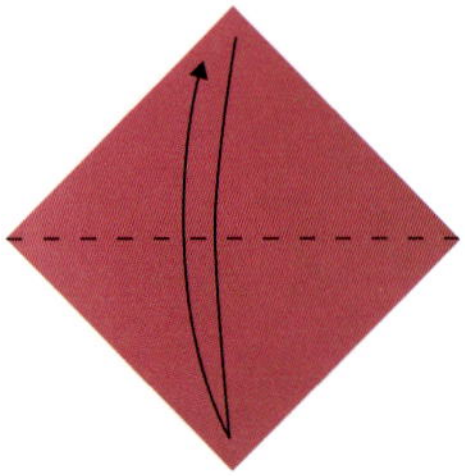

1

はんぶんにおって、もどす

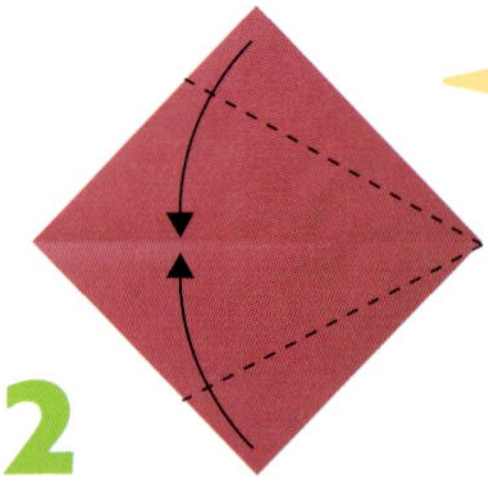

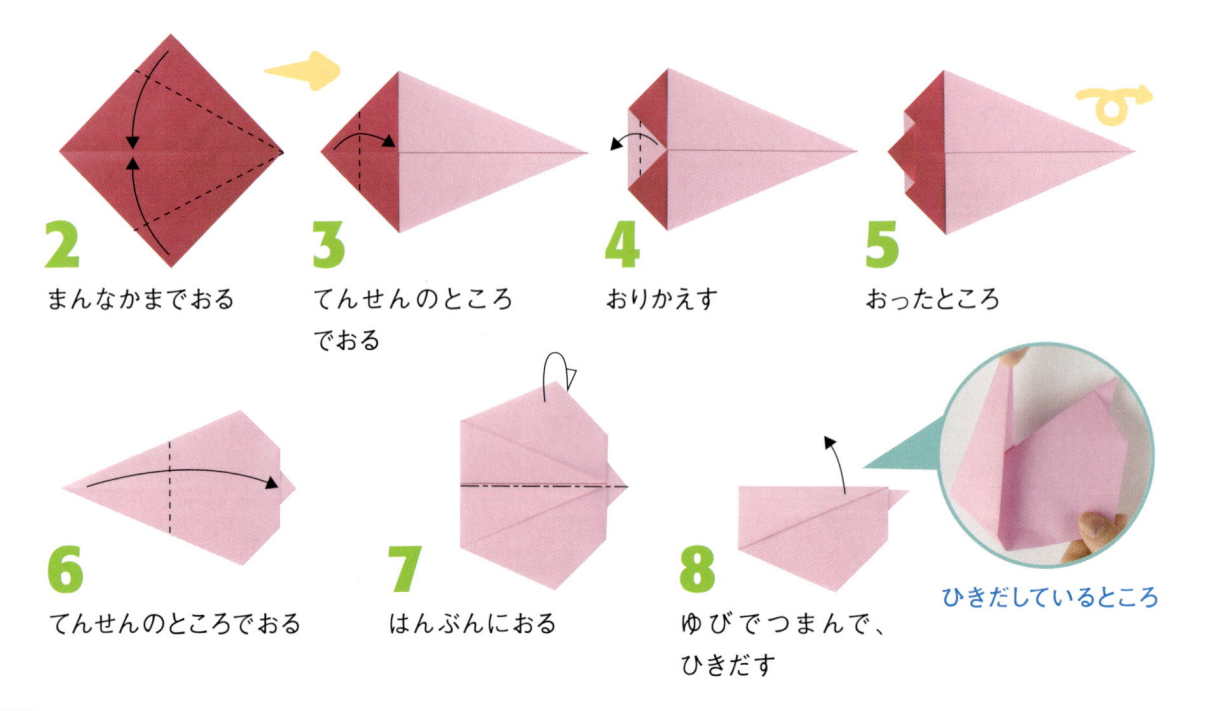

2

まんなかまでおる

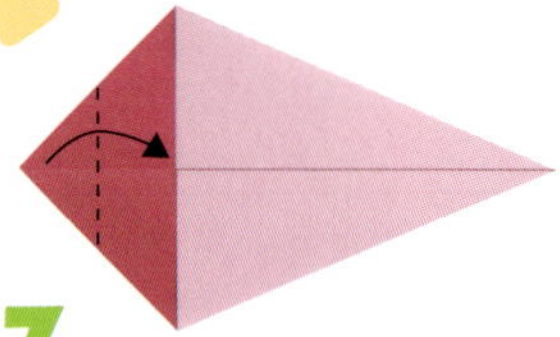

3

てんせんのところ
でおる

4

おりかえす

5

おったところ

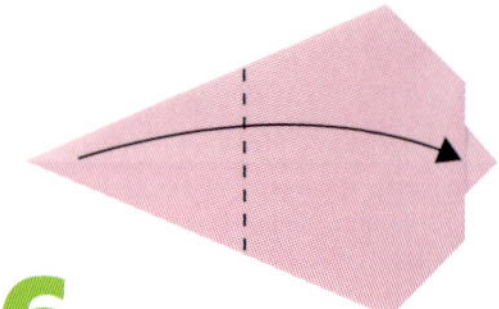

6

てんせんのところでおる

7

はんぶんにおる

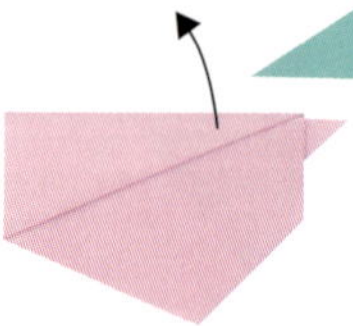

8

ゆびでつまんで、
ひきだす

ひきだしているところ

9

きりこみをいれる

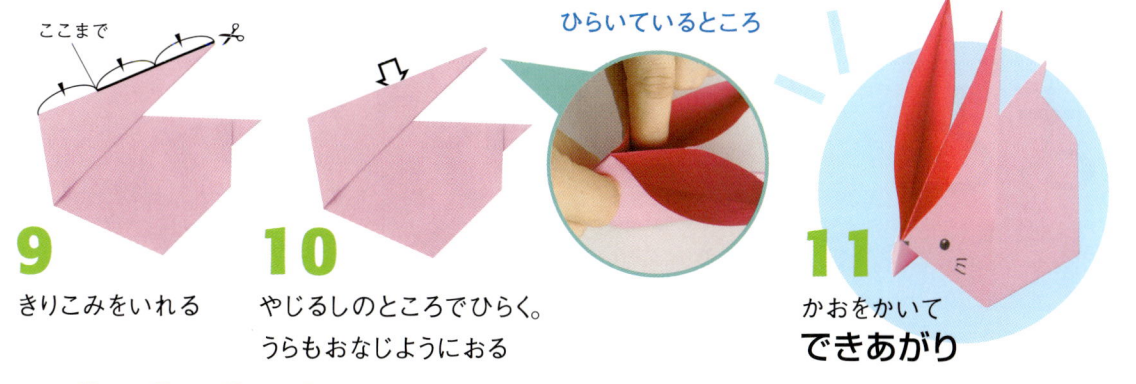

10

やじるしのところでひらく。
うらもおなじようにおる

ひらいているところ

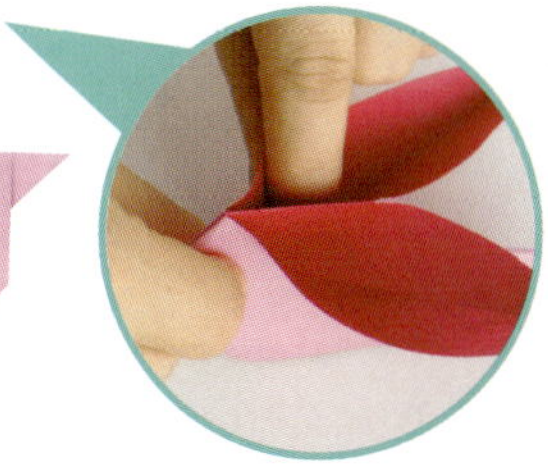

11

かおをかいて
できあがり

へんしん

◆うし◆ うさぎの10からはじめます

1

しっぽをつまんで、
下《した》にむける

2

くるくるまく。うらも
おなじようにまく

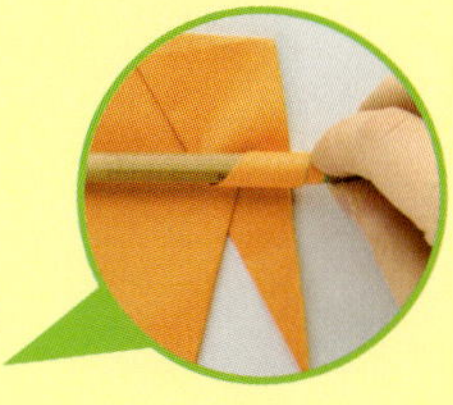

まいている
ところ

3

かおをかいて
できあがり

◆トナカイ◆ うしの2からはじめます

1

じゃばらおりする。うら
もおなじようにおる

2

かおをかいて
できあがり

◆ひつじ◆ うしの2からはじめます

1

やまおりする

2

やまおりする

3

やまおりする。うらも
おなじようにおる

4

かおをかいて
できあがり

えさを つついている みたいだね

はと

かんたん

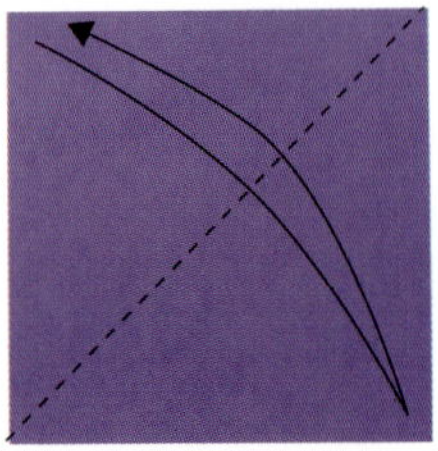

1

ななめにおって、もどす

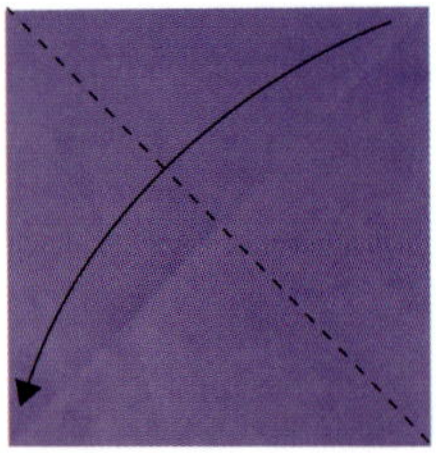

2

ななめにおる

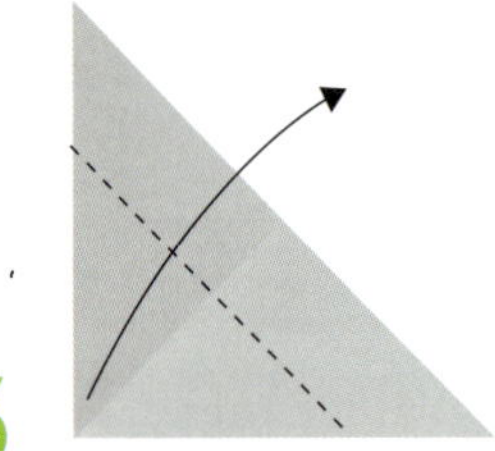

3

2まいいっしょに、はみだすようにおる

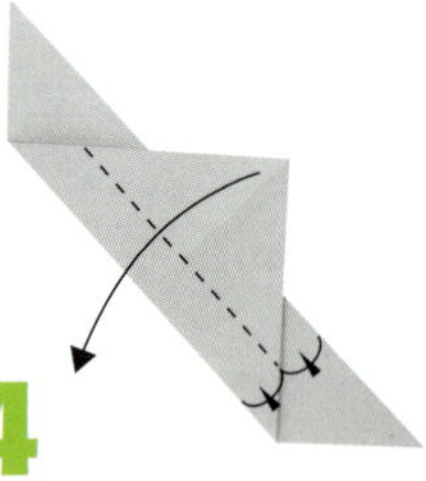

4

上《うえ》の1まいだけをおる

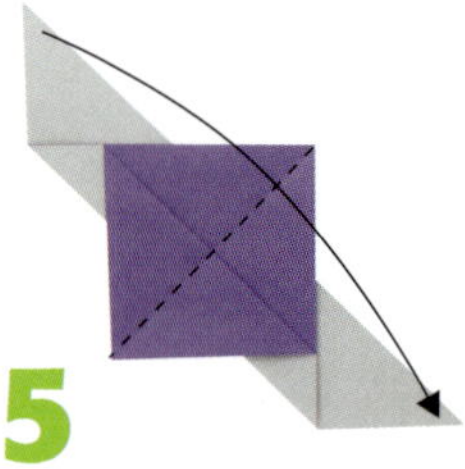

5

はんぶんにおる

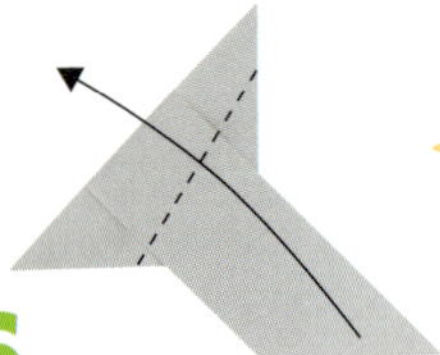

6

てんせんのところでおる。うらもおなじようにおる

7

なかわりおりする

8

めをかいて

できあがり

はさみで きれいなしっぽを つくるよ

ことり

かんたん　はさみ

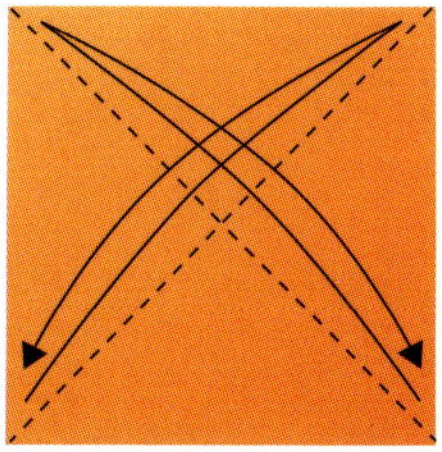

1

はんぶんにおってもどす

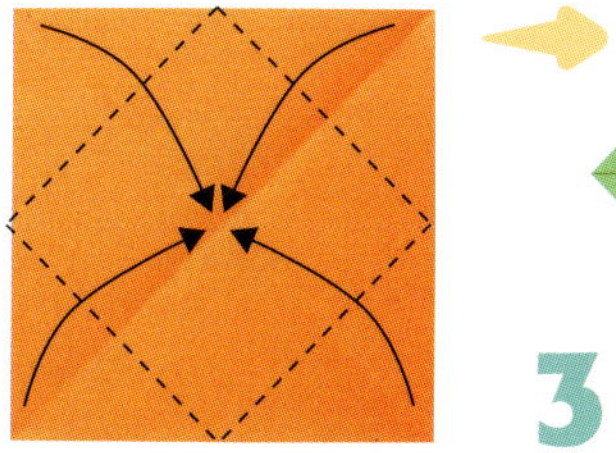

2

かどをそれぞれ、まんなかまでおる

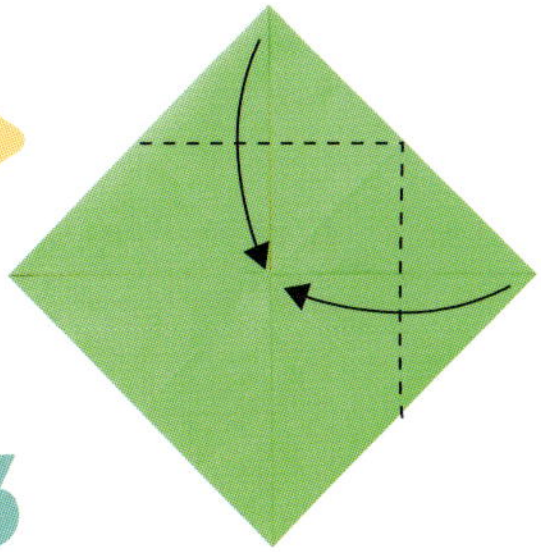

3

まんなかまでおる

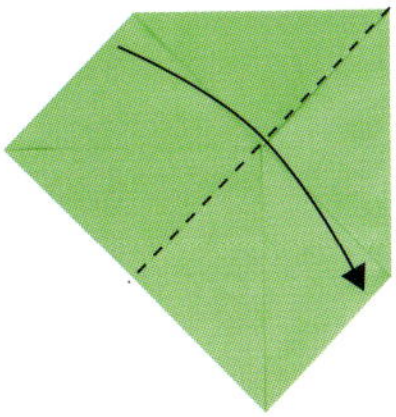

4

はんぶんにおる

5

なかわりおりする

6

きりこみをいれる

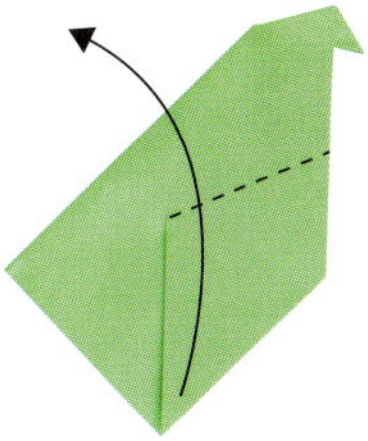

7

上《うえ》の1まいを、てんせんのところでおる。うらもおなじようにおる

8

めをかいて

できあがり

ひよこを たくさん つくってあげようね

にわとりの
おやこ

※写真のひよこは、にわとりの3分の1と4分の1の大きさの紙で作っています。

ふつう

にわとり

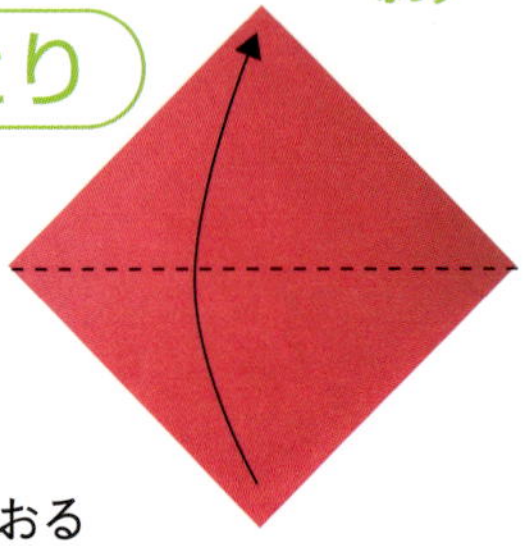

1

はんぶんにおる

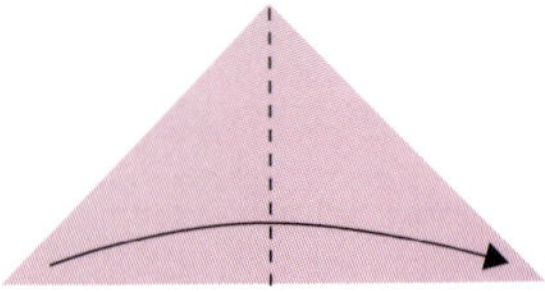

2

はんぶんにおる

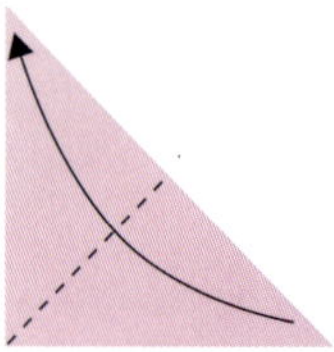

3

上《うえ》の1まいを、はんぶんにおる。うらもおなじようにおる

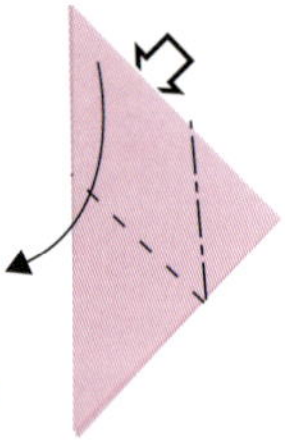

4

やじるしのところで、ひらく。うらもおなじようにおる

ひらいているところ

5

やじるしのところをひらく

6

上《うえ》の1まいをおる

7

下《した》のかみをうちがわにおる

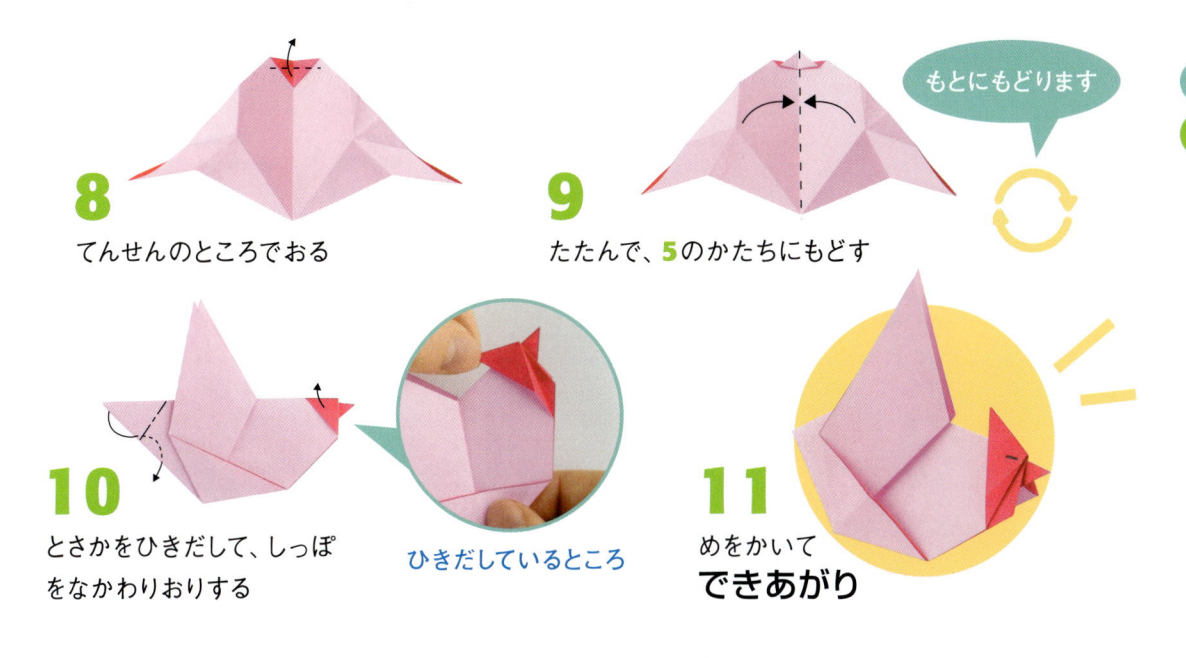

8
てんせんのところでおる

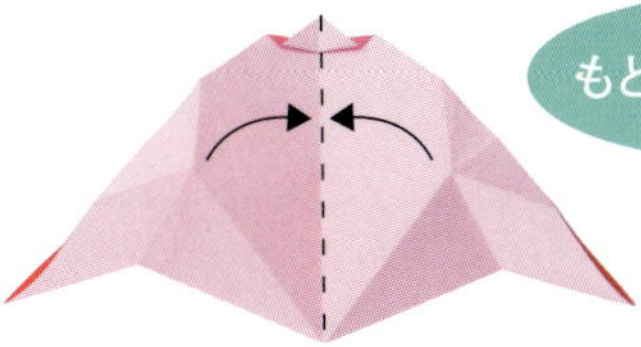

9
たたんで、5のかたちにもどす

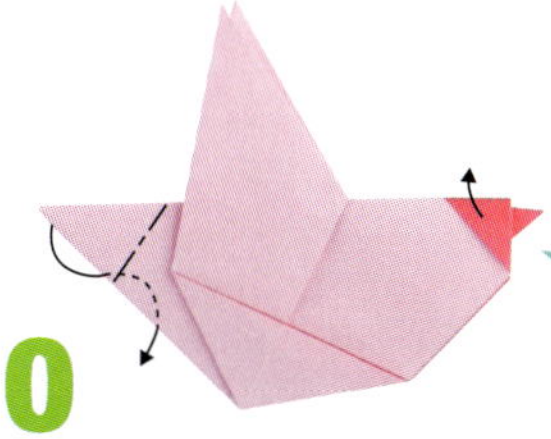

10
とさかをひきだして、しっぽ
をなかわりおりする

ひきだしているところ

11
めをかいて
できあがり

ひよこ

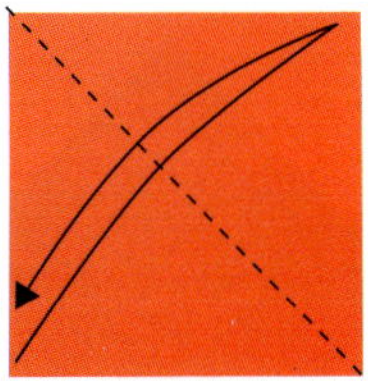

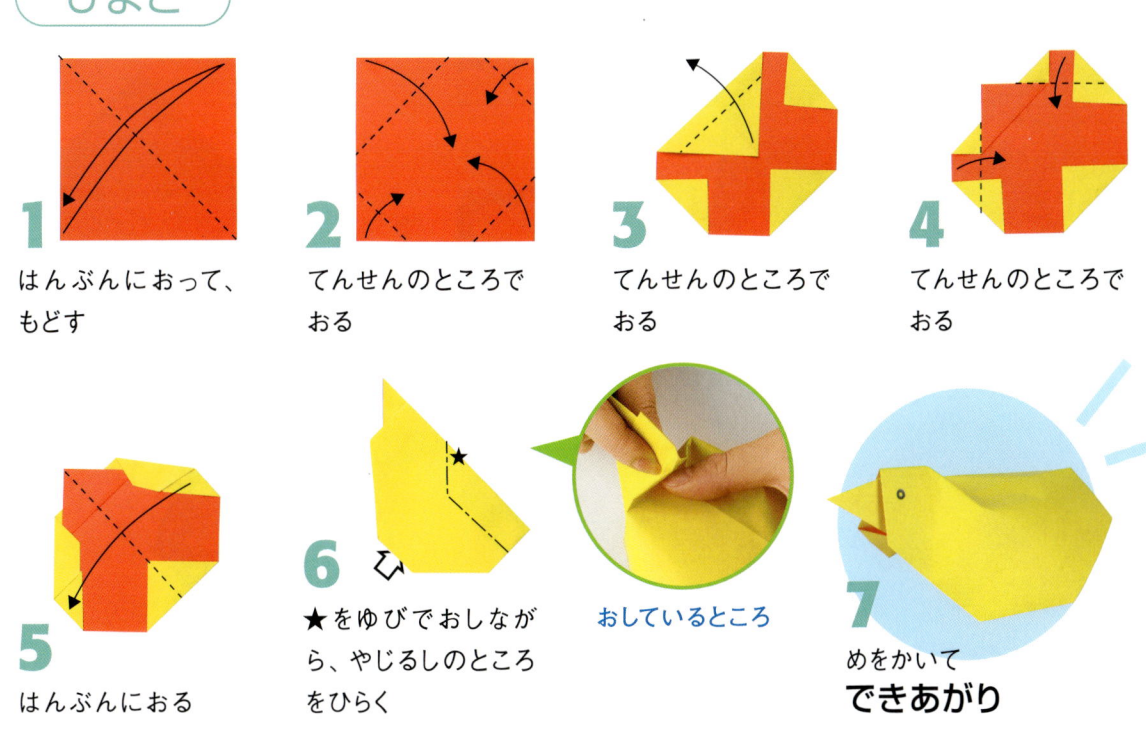

1
はんぶんにおって、
もどす

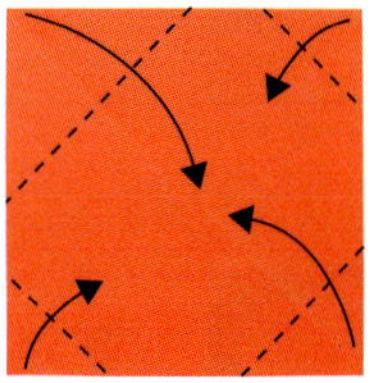

2
てんせんのところで
おる

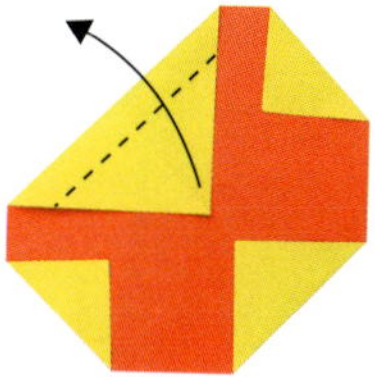

3
てんせんのところで
おる

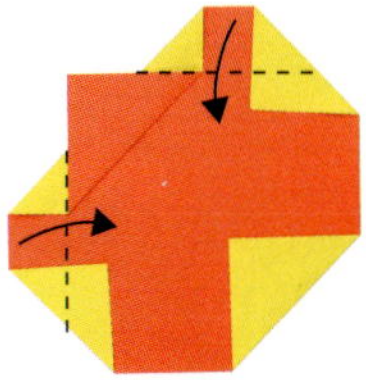

4
てんせんのところで
おる

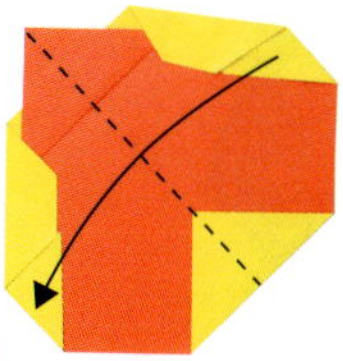

5
はんぶんにおる

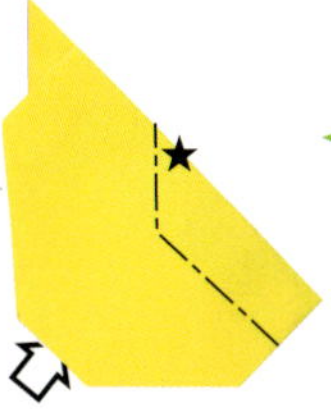

6
★をゆびでおしなが
ら、やじるしのところ
をひらく

おしているところ

7
めをかいて
できあがり

おなかを ぷくっと ふくらまそう

かえる

むずかしい

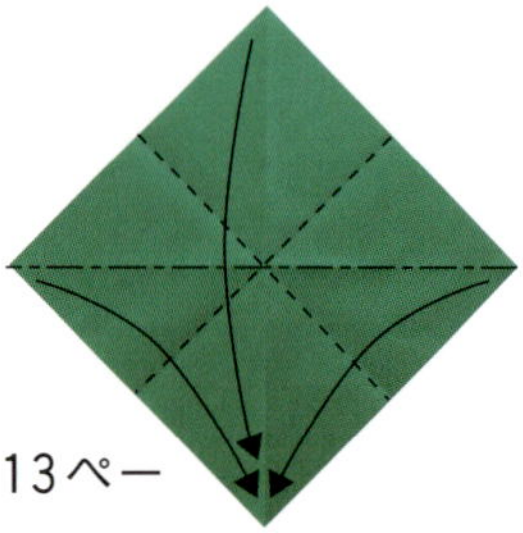

1

「四《し》かくおり（13ページ）」をつくる

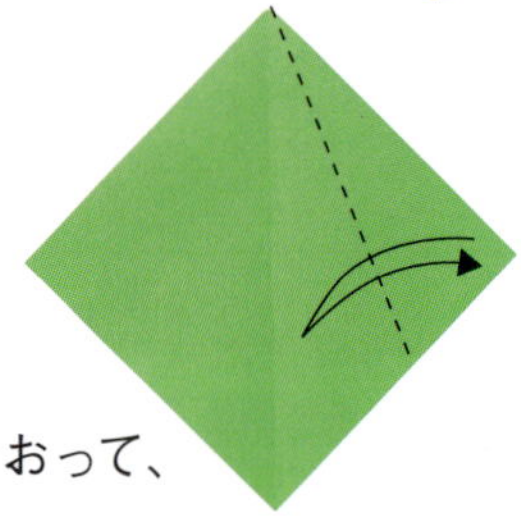

2

まんなかまでおって、もどす

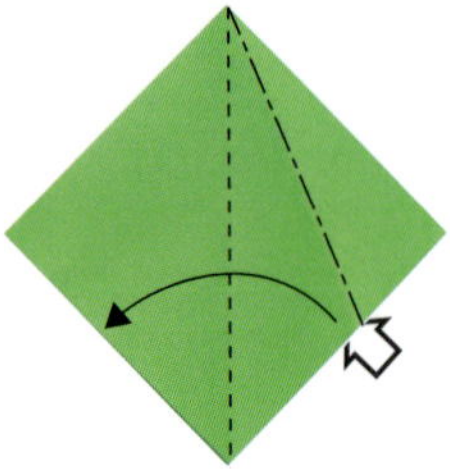

3

おりせんにそって、ひらいてたたむ

4

のこりの3かしょも、おなじようにおる

5

まんなかまでおって、もどす

ひらいているところ

6

おりせんをつかって、ひらく

7

のこりの3かしょも、
おなじようにおる

8

まんなかまでおる

9

のこりの3かしょも、お
なじようにおる

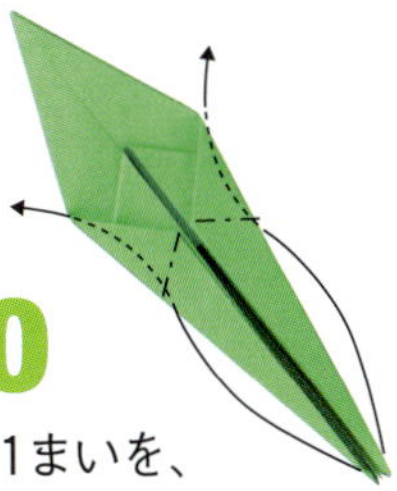

10

上《うえ》の1まいを、
なかわりおりする

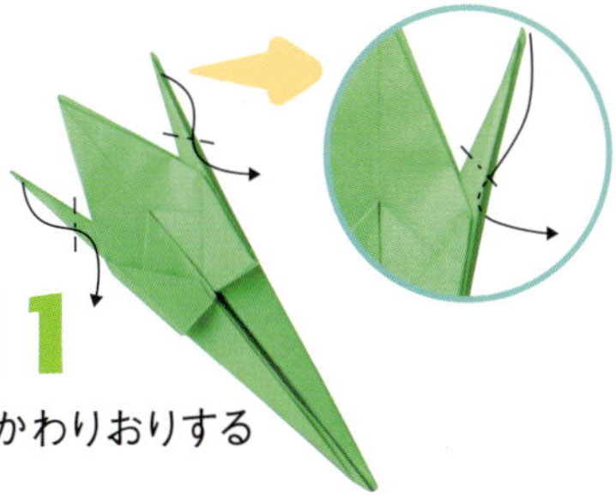

11

なかわりおりする

12

なかわりおりする

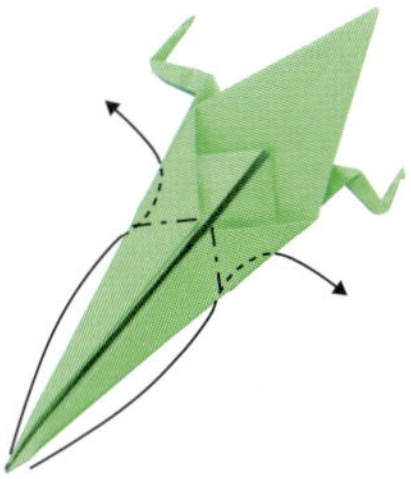

13

なかわりおりする

14

なかわりおりする

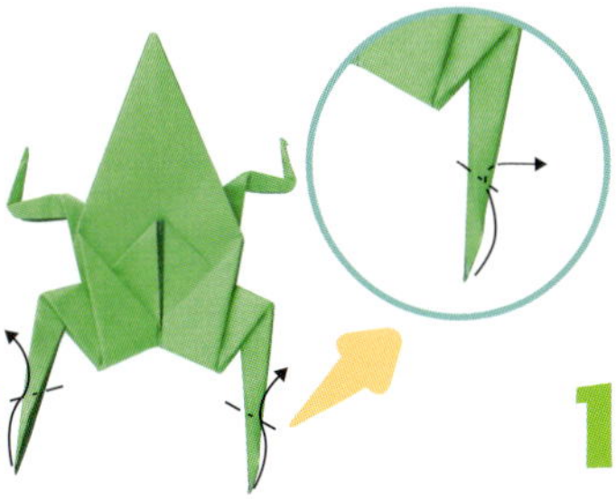

15

なかわりおりする

ふきこむ

16

いきをふきいれる

17

めをかいて
できあがり

大《おお》きな はさみが かっこいいぞ

ざりがに

かんたん　はさみ

● ななめに、はんぶんにきった おりがみでつくります

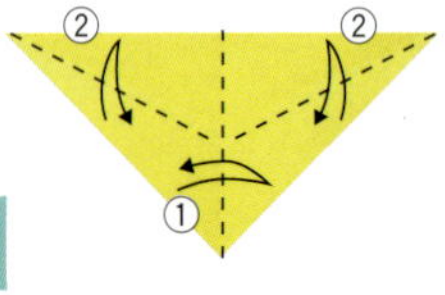

1

①、②のじゅんばんで おって、もどす

2

まんなかまで、2しゅるいのおりせんをつける

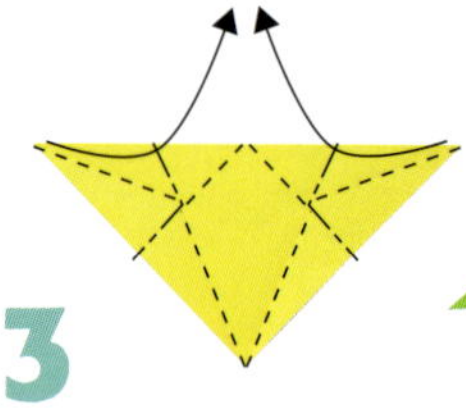

3

おりせんにそってたたむ

たたんでいるところ

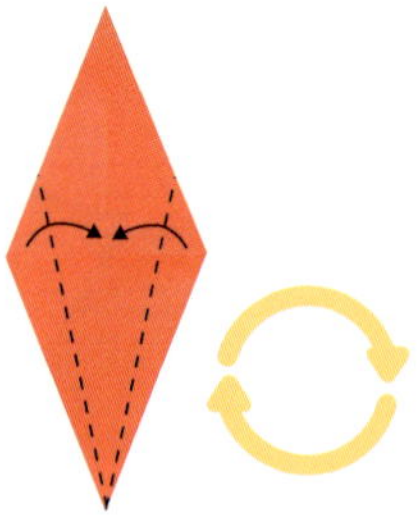

4

まんなかまでおる

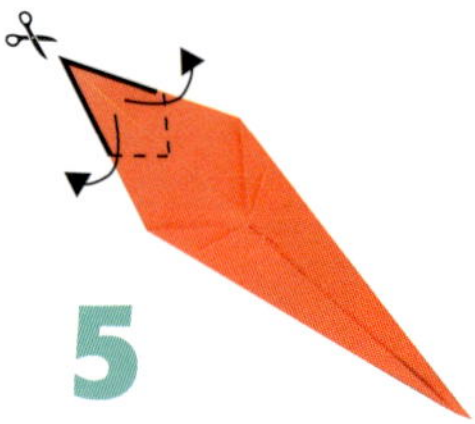

5

きりこみをいれて、てんせんのところをひらく

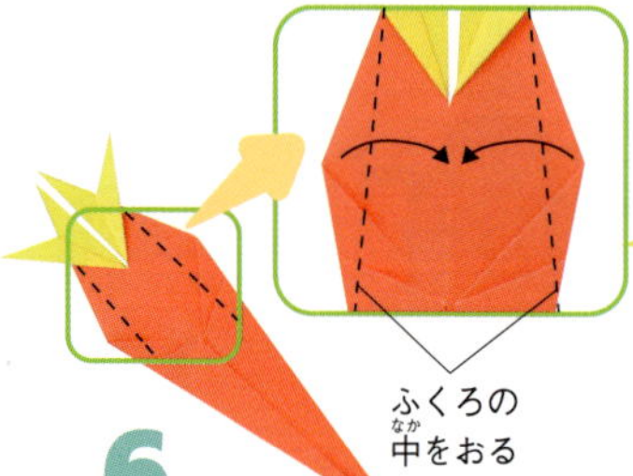

6

ほそくおる

7

だんおりする

8

めをかいて

できあがり

6
しょう

きれい！

きせつの おりがみ

みんなが だいすきな
ぎょうじの おりがみを あつめたよ
いっぱいつくって かざってみよう

きせつのおりがみをつくろう！

お正《しょう》月《がつ》、ひなまつり、こどもの日《ひ》、クリスマス。
みんながたのしみにしている、きせつのおりがみをしょうかいするよ！
おへやにかざったり、おうちの人《ひと》やおともだちにプレゼントしたりしてね。

お正《しょう》月《がつ》

あけまして　おめでとう！

はごいた→97ページ
たこ→97ページ
はね
→98ページ
賀正

ます
→101ページ
はっぴ
→99ページ
寿
おに
→100ページ

せつぶん

おにはーそと！

ふくはーうち！

ぼんぼり
→102ページ
おびな→102ページ
めびな→102ページ

ひなまつり

おびなにめびな、いっしょにかざってあげてね

かぶと→20ページ
こいのぼり
→103ページ

ちまきやかしわもちがたべられるよ

こどもの日《ひ》

おうぎのかざり
→105ページ
三《さん》かくのかざり
→105ページ
こいぬがほしい
アイドルになりたい!!
たんざく
→104ページ
ばねのかざり
→104ページ

たなばた

たんざくに、ねがいごとをかこう

なつといえば、やまでむしとり。たのしみだね！

なつやすみ

くわがた→106ページ

あざらし→108ページ

エンゼルフィッシュ→107ページ

かいすいよくや、すいぞくかんにもいきたいな！

クリスマス

クリスマスツリー→108ページ

クリスマスリース→109ページ

メリークリスマス！サンタさん、きてくれるかな？

お正《しょう》月《がつ》のおりがみ

たこ

かんたん

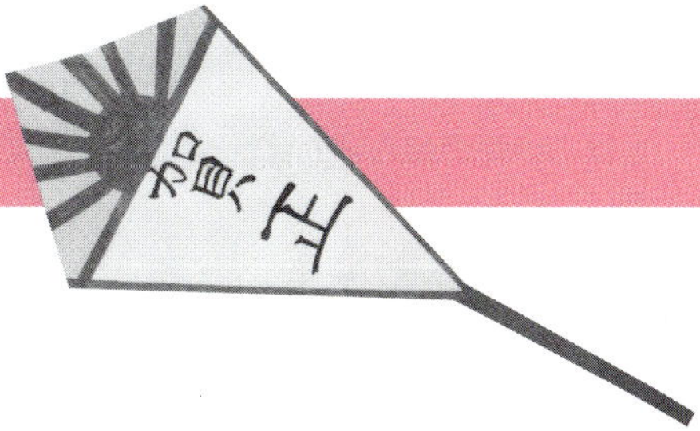

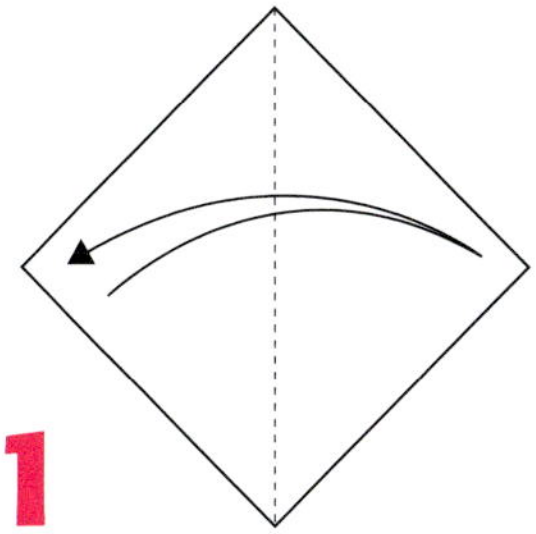

1

はんぶんにおって、
もどす

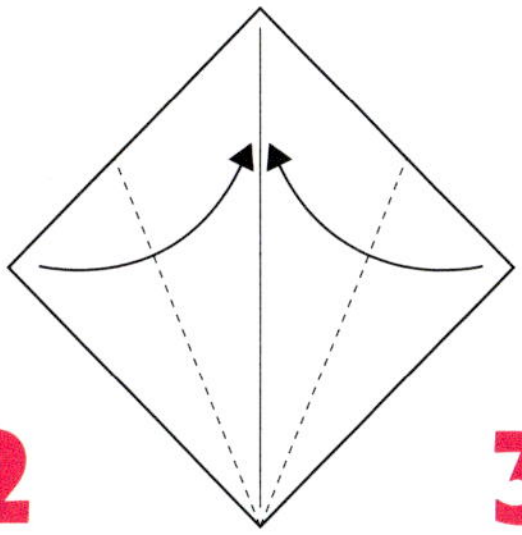

2

まんなかまでおる

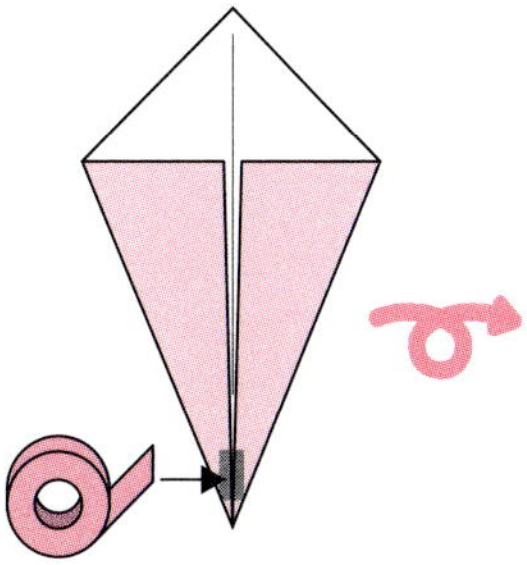

3

かみテープや、ほそくきったおりがみをはる

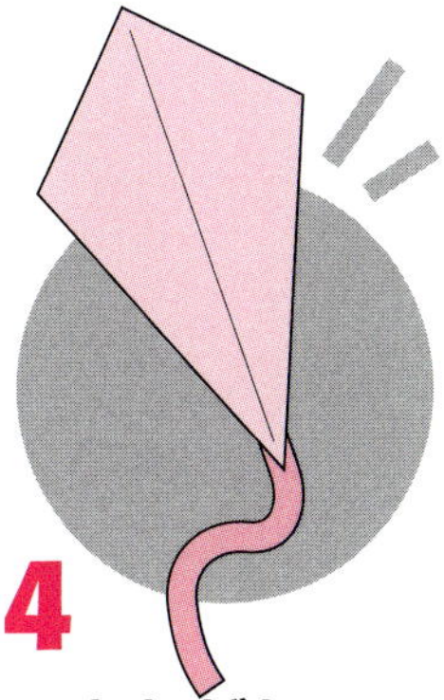

4

できあがり

お正《しょう》月《がつ》のおりがみ

はごいたとはね

かんたん　はさみ

● **はんぶんにきったおりがみでつくります**

はごいた

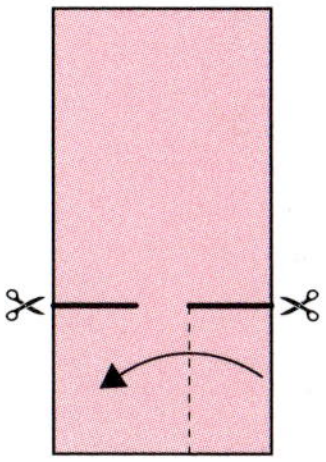

1

はさみできりこみをいれて、
てんせんのところでおる

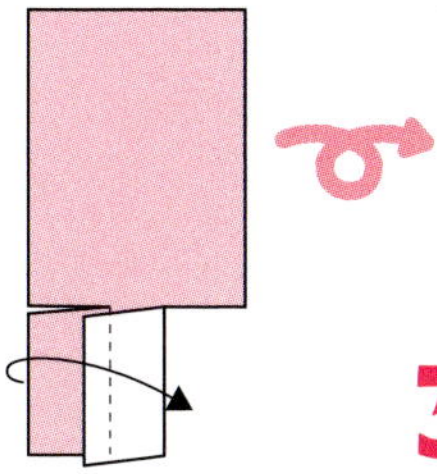

2

てんせんのところで、
2まいあわせておる

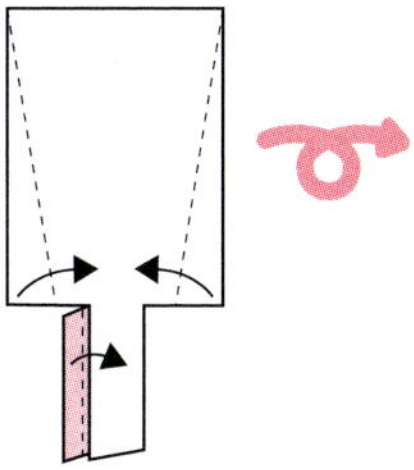

3

てんせんのところ
でおる

4

できあがり

はね

●はごいたのはんぶんの大《おお》きさのかみでつくります

ふつう

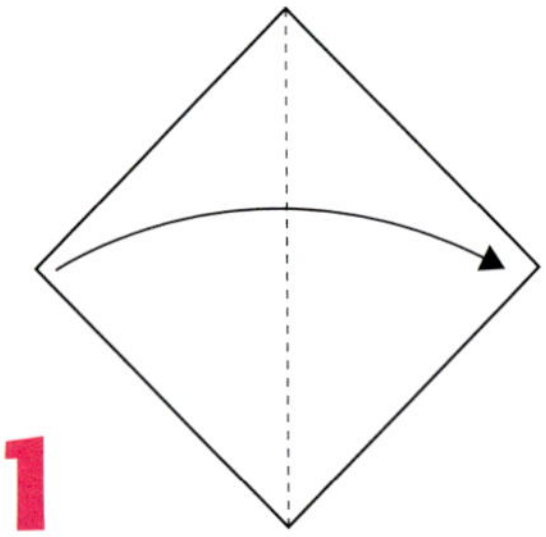

1

はんぶんにおって、
もどす

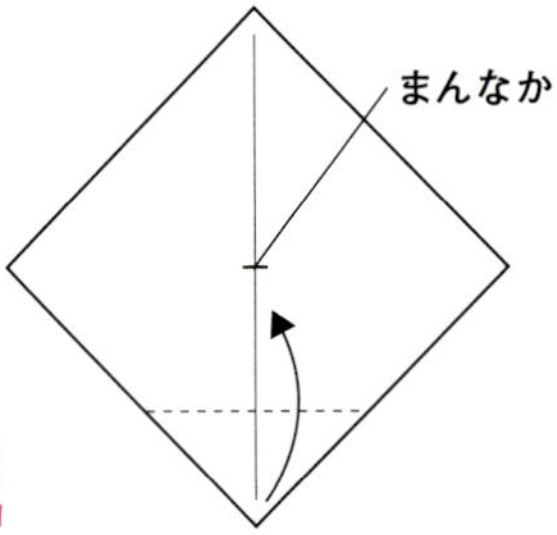

2

まんなかよりすこし下《した》まで
おる

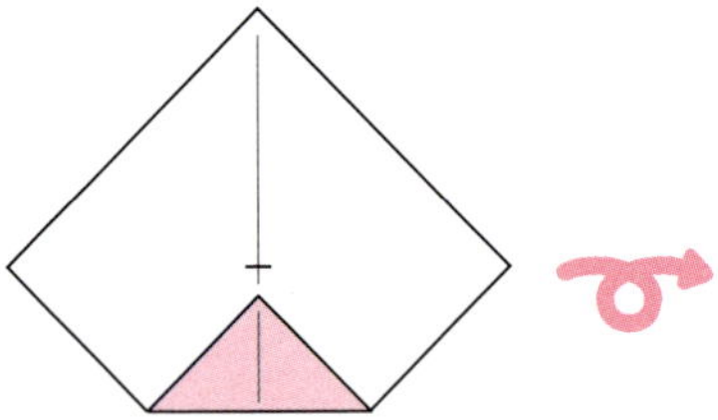

3

おったところ

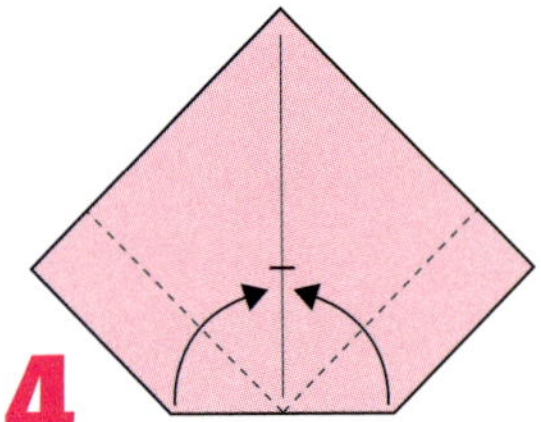

4

まんなかまでおる

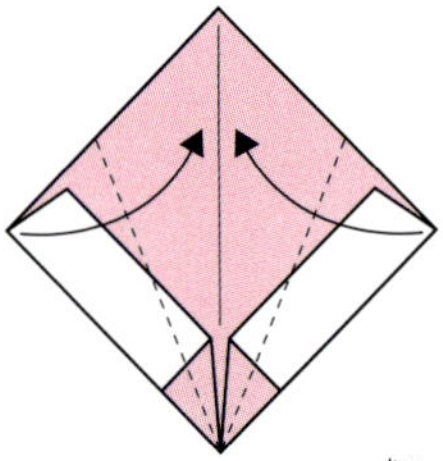

5

6になるようにおる。小《ちい》さなふくろの中《なか》も、まんなかまでおる

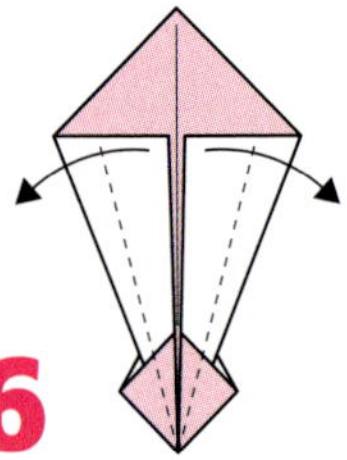

6

5でおったところを
そとがわにおる

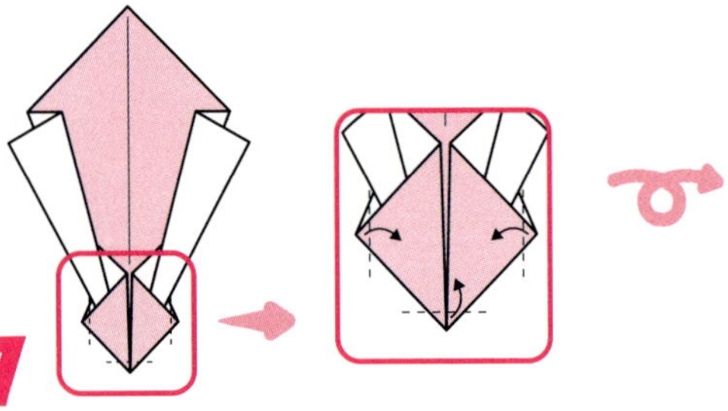

7

てんせんのところで
おる

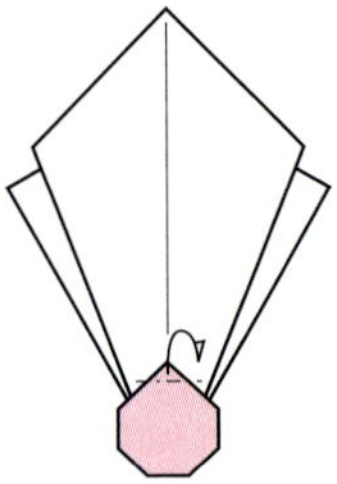

8

てんせんのところで、
やまおりする

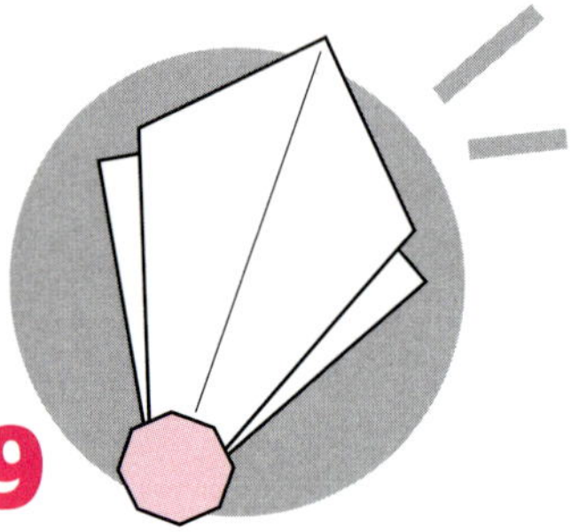

9

できあがり

はっぴ

かんたん

2まいのかみで

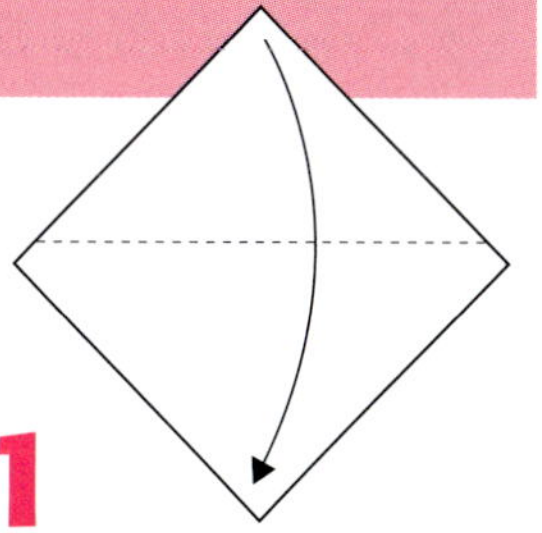

1

はんぶんよりすこし上《うえ》でおる

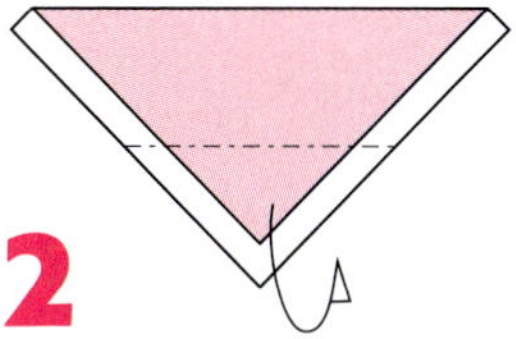

2

てんせんのところで、やまおりする

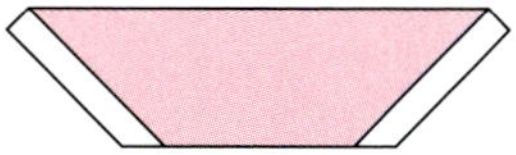

3

おったところ

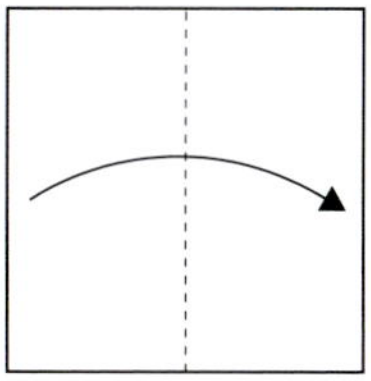

4

もう1まいのかみを、はんぶんにおる

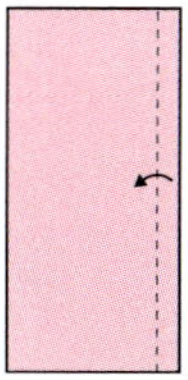

5

てんせんのところでおる。うらもおなじようにおる

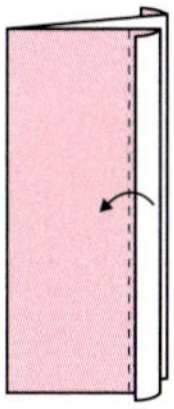

6

てんせんのところでおる。うらもおなじようにおる

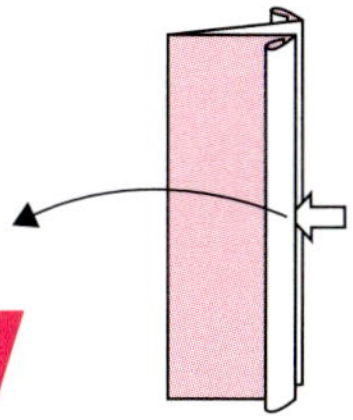

7

ひらいて**8**のかたちにする

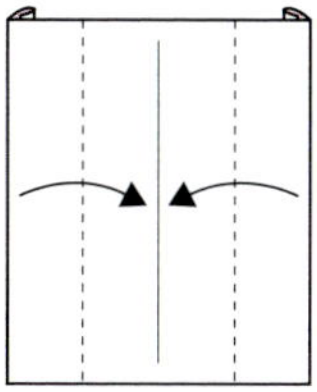

8

まんなかまでおる

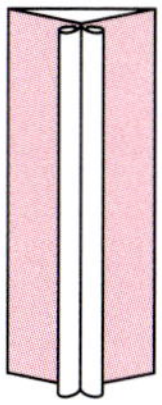

9

おったところ

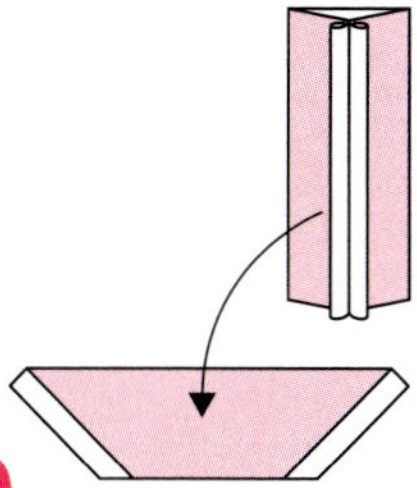

10

9を**3**の上《うえ》にのせる

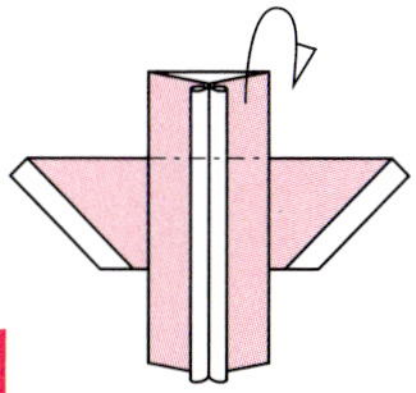

11

てんせんのところで、やまおりする

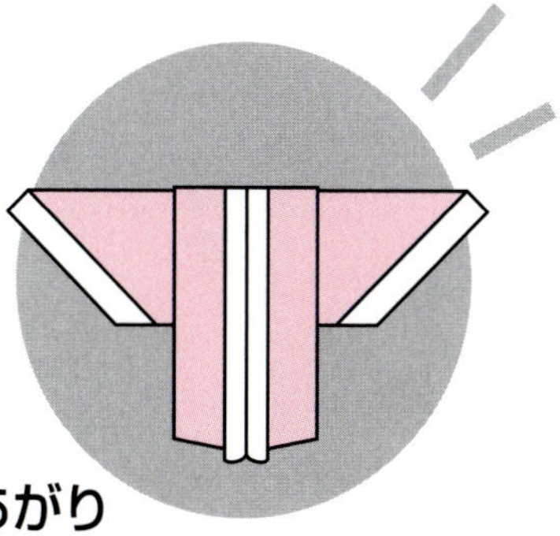

12

できあがり

せつぶんのおりがみ

おに

むずかしい

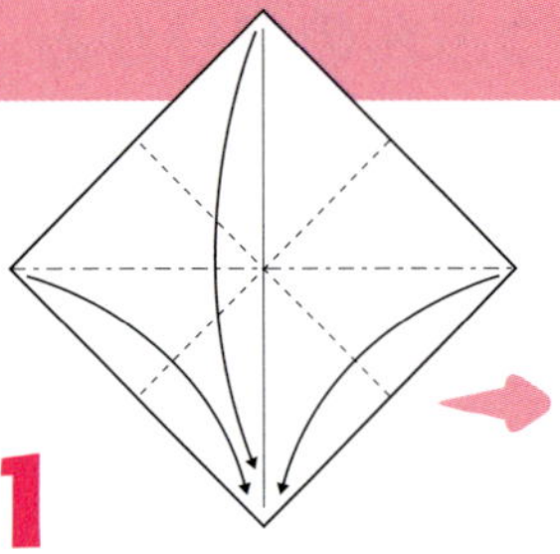

1

「四《し》かくおり（13ページ）」をつくる

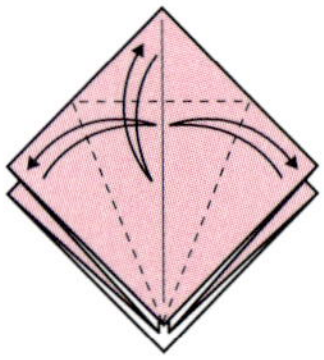

2

てんせんのところで、それぞれおって、もどす

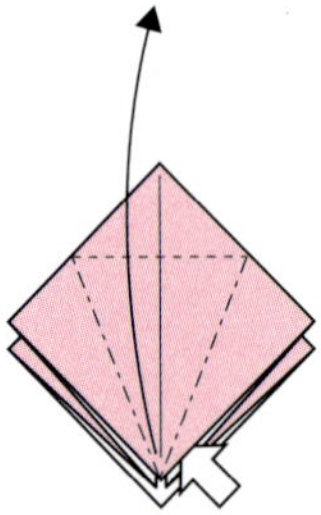

3

おりせんをつかってひらく

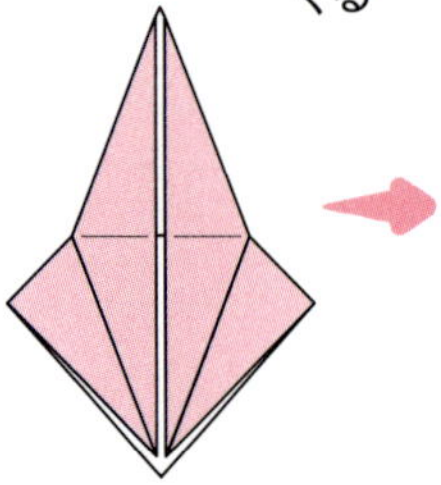

4

おったところ。うらもおなじようにおる

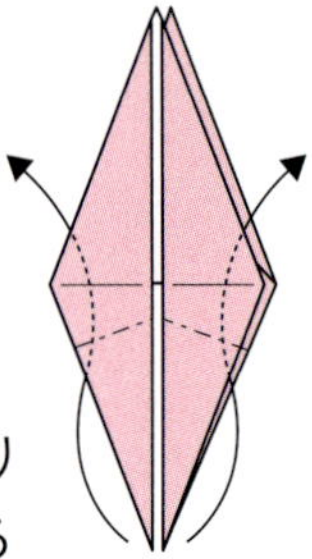

5

なかわりおりする

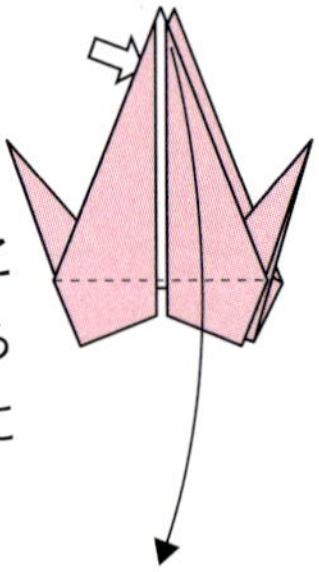

6

てんせんのところでおる。うらもおなじようにおる

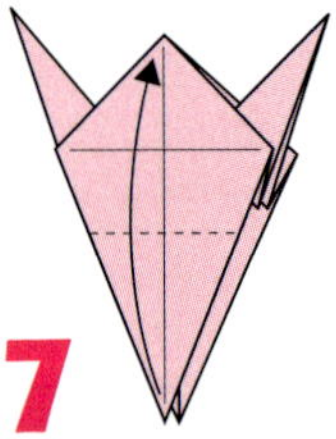

7

上《うえ》までおる

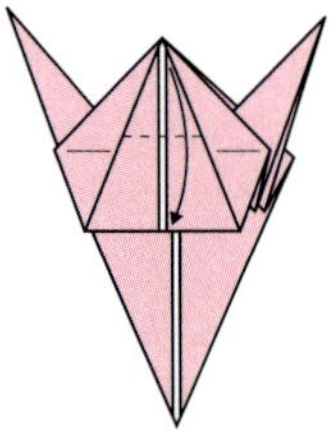

8

てんせんのところでおる

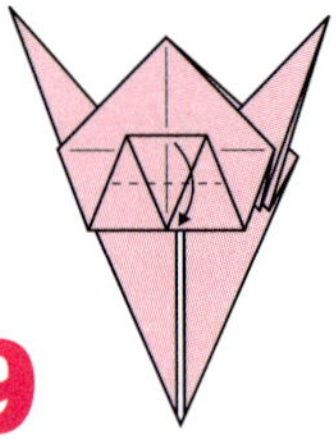

9

てんせんのところでおる

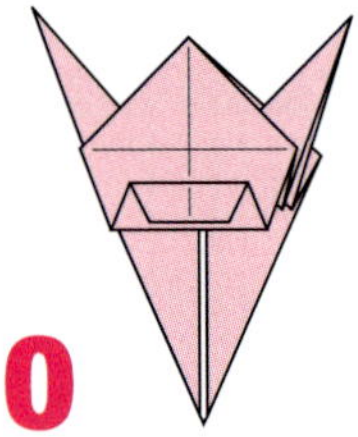

10

いちどひらいて、**8**のかたちにもどす

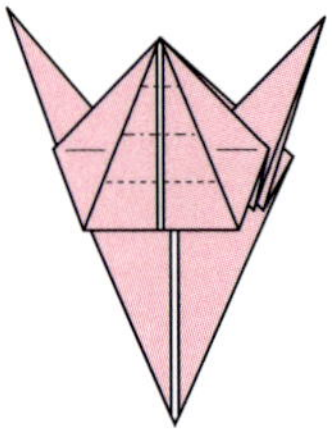

11

おりせんをつかって、じゃばらおりする

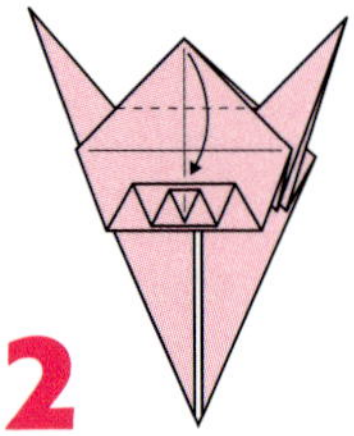

12

てんせんのところでおる

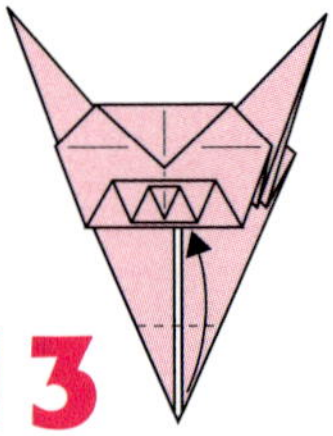

13

てんせんのところでおる

14

てんせんのところ
でおる

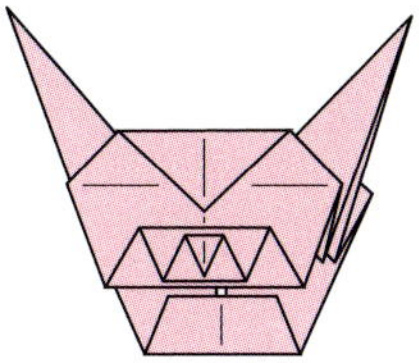

15

いちどひらいて、**13**
のかたちにもどす

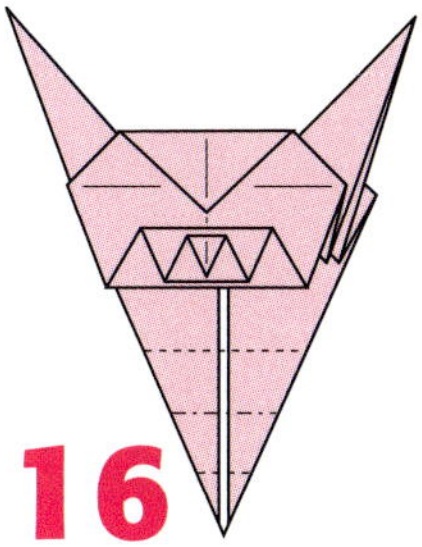

16

てんせんをつかって、
じゃばらおりする

17

かおをかいて
できあがり

せつぶんのおりがみ

ます

かんたん

※写真の豆は、おりがみを豆の形に切りぬいて作っています。

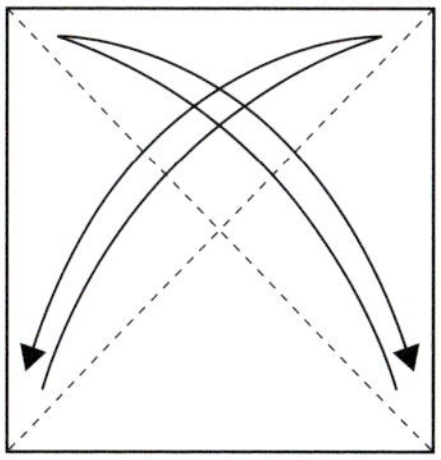

1

ななめにおって、もどす

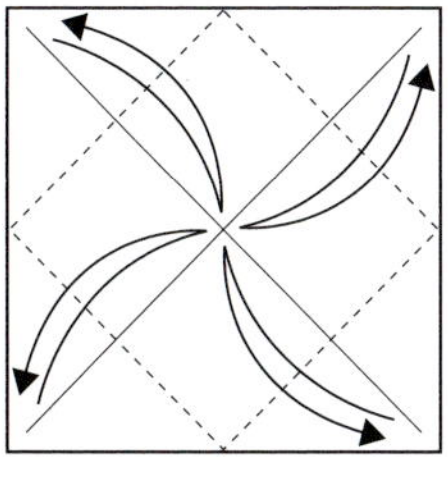

2

かどをまんなかまで
おって、もどす

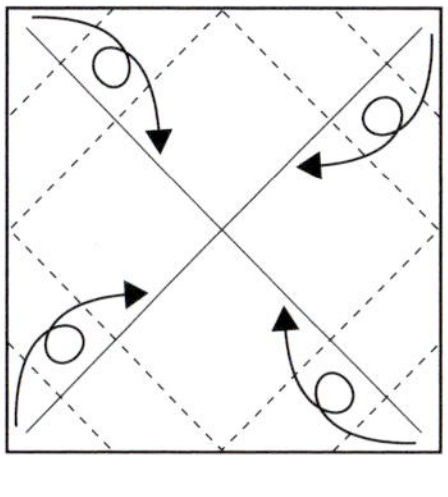

3

2のおりせんをつかって、まきおりする

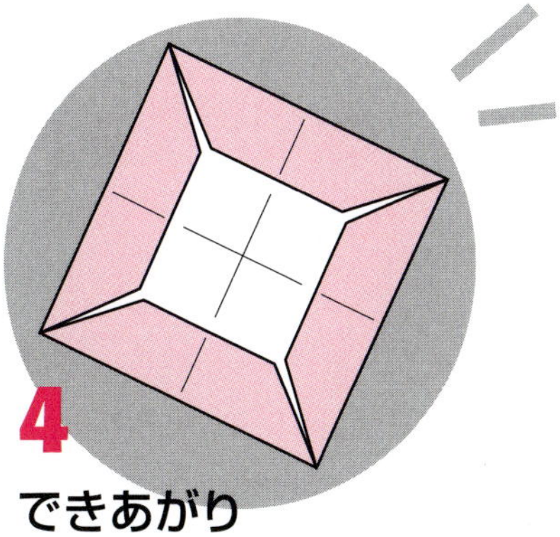

4

できあがり

ひなまつりのおりがみ

おびなとめびな

かんたん

3まいのかみで

● 3まいのおりがみを1のように、すこしずらしてはりつけてからはじめます

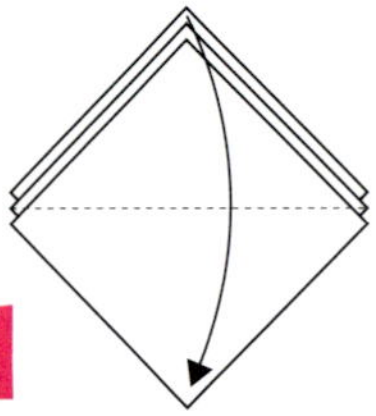

1

まんなかのかみが、はんぶんになるようにおる

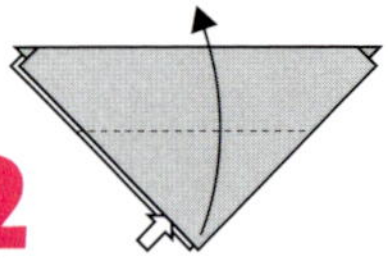

2

上《うえ》の3まいを、てんせんのところでおる

おびなとめびなで3からおりかたがかわるよ

おびな

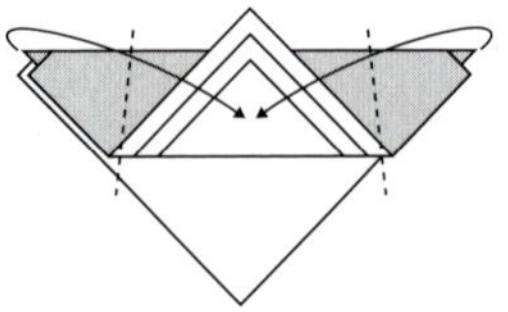

3

てんせんのところでおる

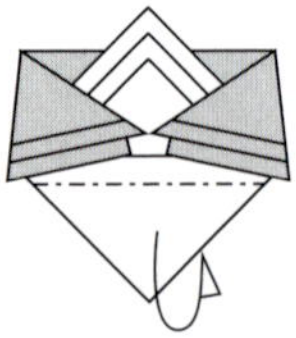

4

てんせんのところで、やまおりする

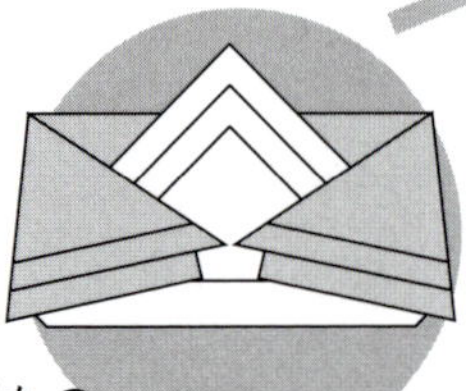

5

おびなの

できあがり

めびな

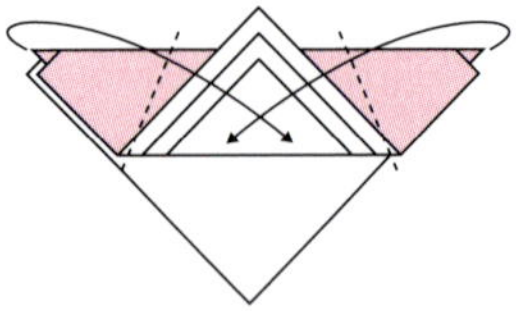

3

てんせんのところでおる

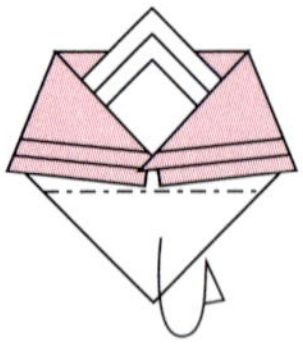

4

てんせんのところで、やまおりする

5

めびなの

できあがり

ひなまつりのおりがみ

ぼんぼり

ふつう

はさみ

2まいのかみで

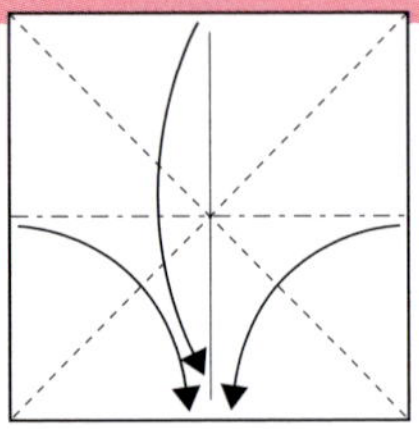

1

「三《さん》かくおり（13ページ）」をつくる

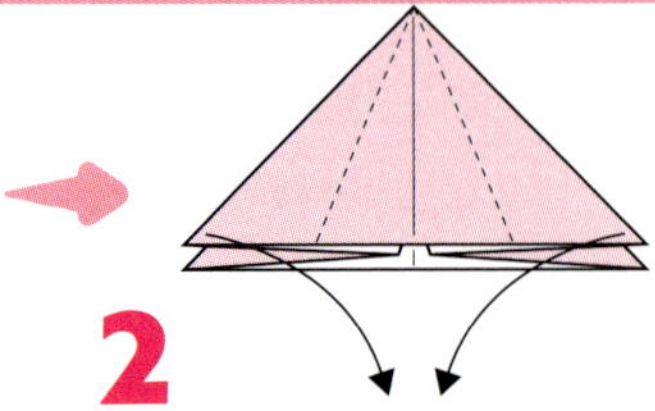

2

てんせんのところでおる。うらもおなじようにおる

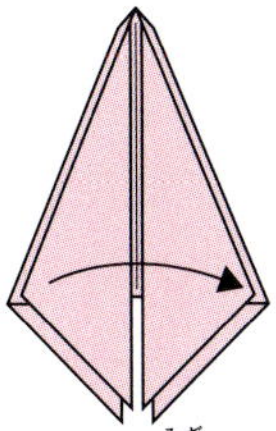

3

上《うえ》の1まいを右《みぎ》におる。うらもおなじようにおる

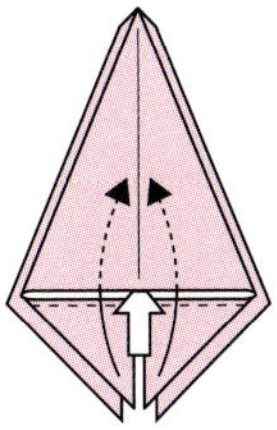

4

てんせんのところでおって、さしこむ。うらもおなじようにおる

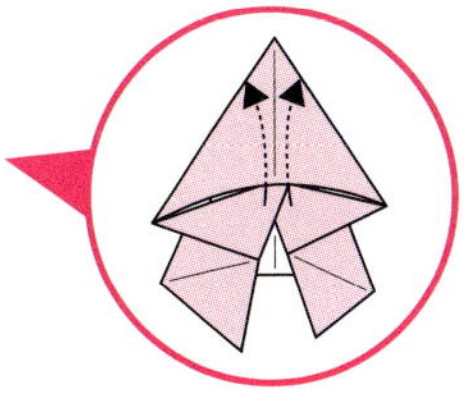

さしこんでいるところ

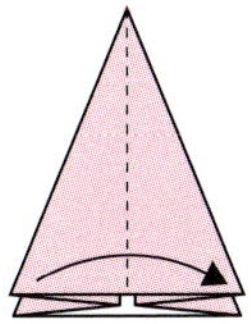

5

上《うえ》の1まいを右《みぎ》におる。うらもおなじようにおる

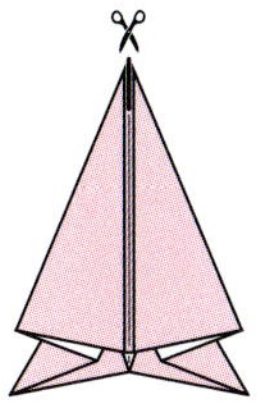

6

きりこみをいれる

- **あかりは、だいの16分《ぶん》の1の大《おお》きさのかみをつかいます**

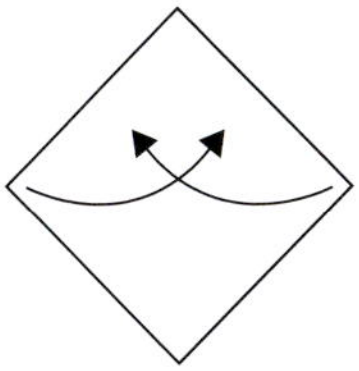

7

はしからまるめて、**8**のようにする

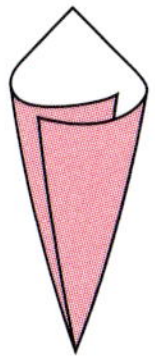

8

まるめたところ

＊くみあわせかた

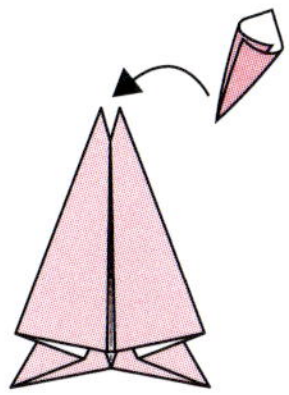

9

8を、**6**できりこみをいれたところにさしこむ

10

できあがり

こどもの日《ひ》のおりがみ

こいのぼり

かんたん

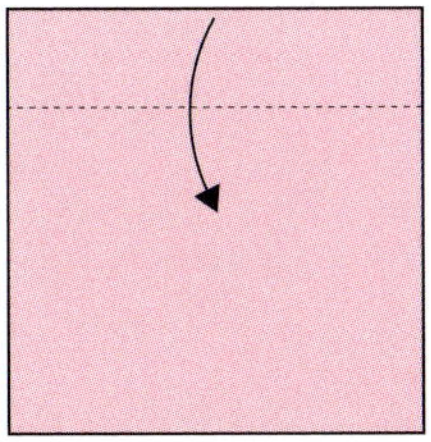

1

てんせんのところでおる

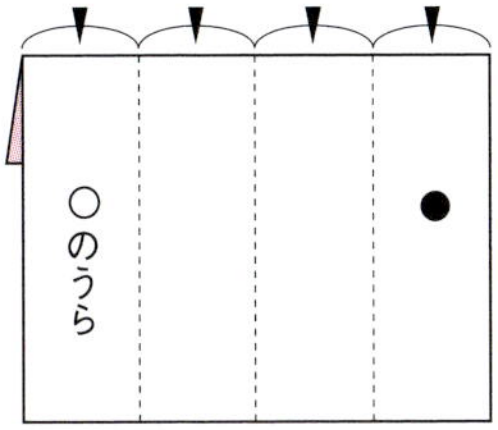

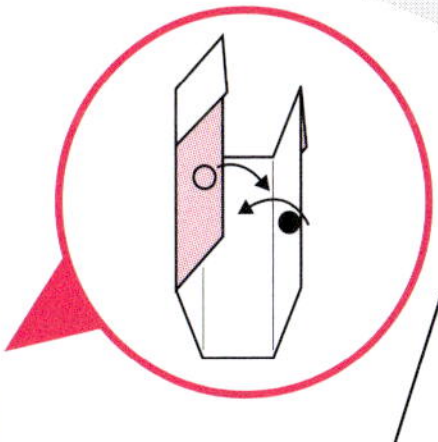

2

てんせんのところでおって、○と●のめんをはりつける

3

えをかいて

できあがり

たなばたのおりがみ

たんざく

ふつう　はさみ

● ちょうほうけいのかみでつくります

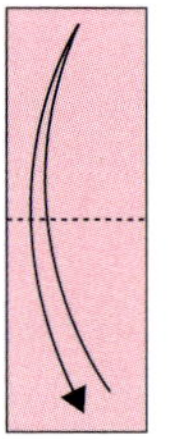

1

はんぶんにおって、もどす

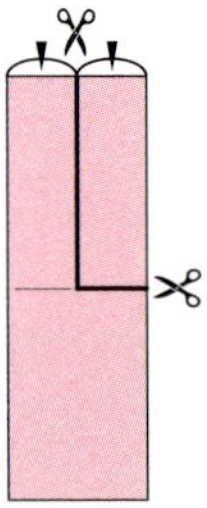

2

はさみできって、**3** のかたちにする

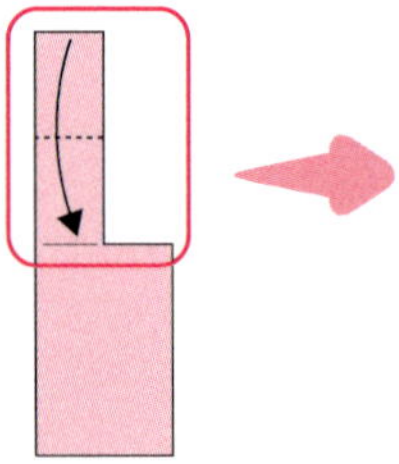

3

てんせんのところでおる

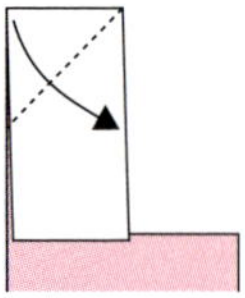

4

てんせんのところでおる

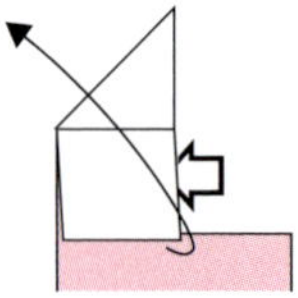

5

4 でおった三《さん》かくをひらかずに、ひらく

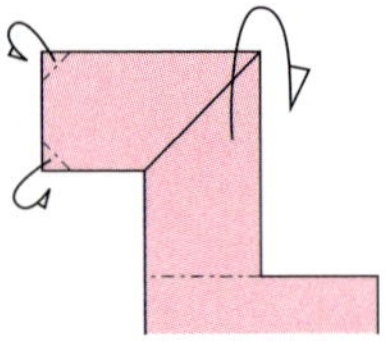

6

てんせんのところで、それぞれやまおりする

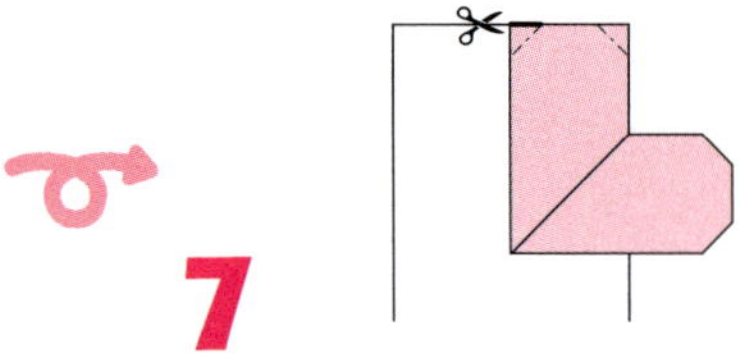

7

きりこみをいれて、てんせんのところで、やまおりする

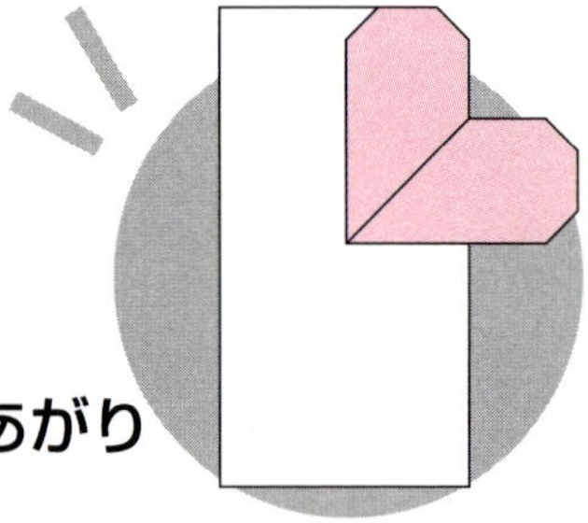

8

できあがり

たなばたのおりがみ

ばねのかざり

かんたん　はさみ　2まいのかみで

● ほそながいかみでつくります

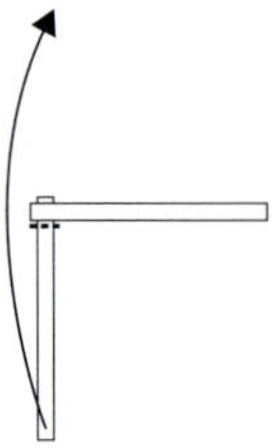

1

2まいをかさねて、下《した》になっているかみをおる

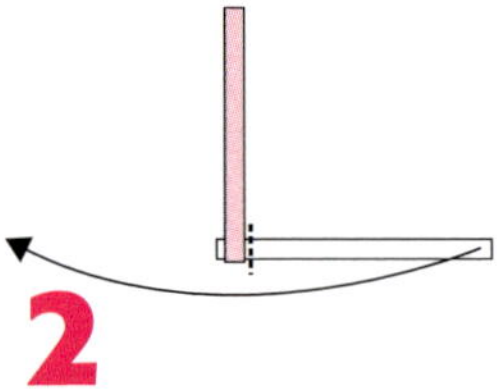

2

下《した》になっているかみをおる。**1**、**2** をなんどもくりかえす

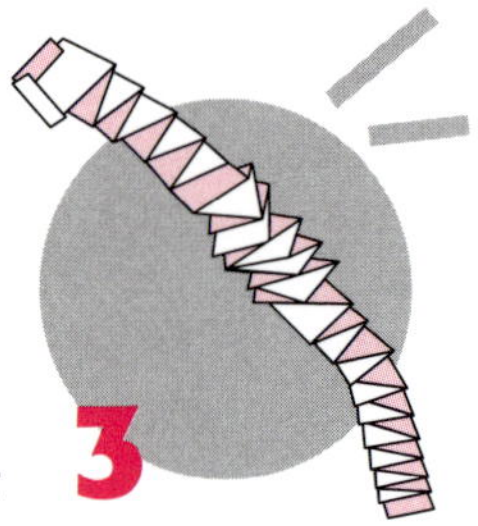

3

さきをのりでとめて

できあがり

たなばたのおりがみ

おうぎのかざり

ふつう

1 ななめに、はんぶんにおる

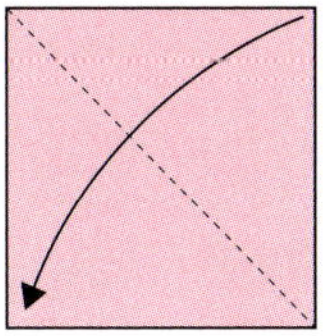

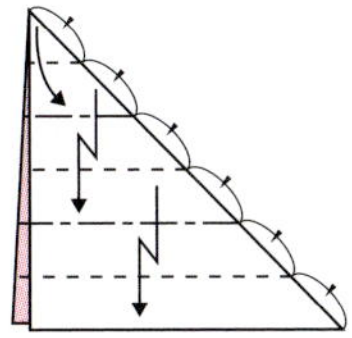

2 てんせんのところで、だんおりする

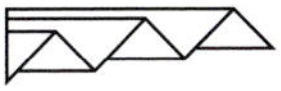

3 おったところ。**1**のかたちにひらく

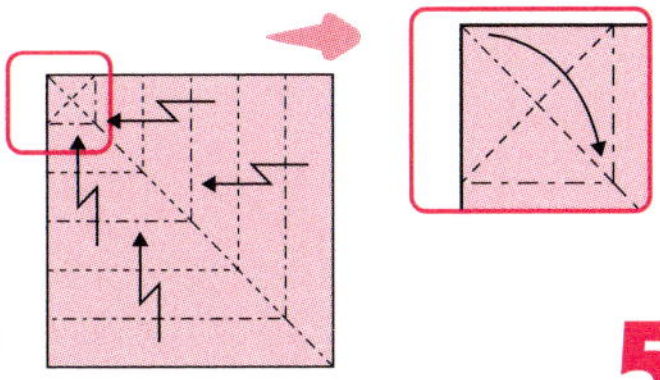

4 おりせんをつかって、だんおりする

5 **できあがり**

たなばたのおりがみ

三《さん》かくのかざり

ふつう

6まいのかみで

※写真は三角形を5こつなげて作っていますが、三角形はいくつでもつなげることができます。

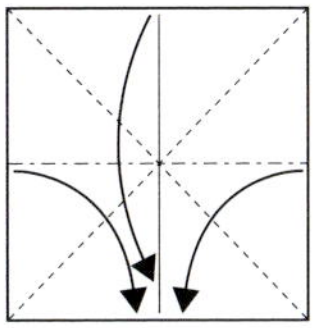

1 「三《さん》かくおり（13ページ）」をつくる

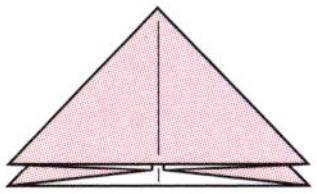

2 おったところ。おなじものを5こつくる

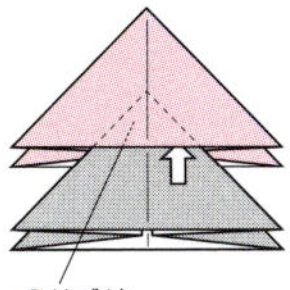

3 **2**でつくった三《さん》かくけいどうしを、つなげる

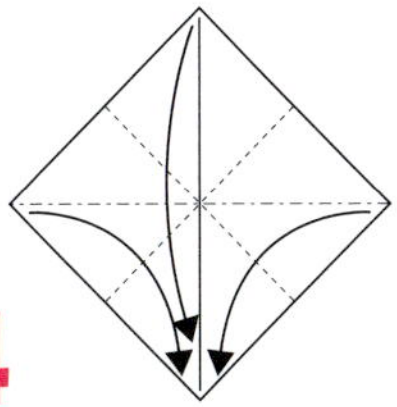

4 べつのかみで、「四《し》かくおり（13ページ）」をつくる

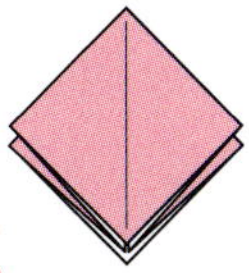

5 おったところ

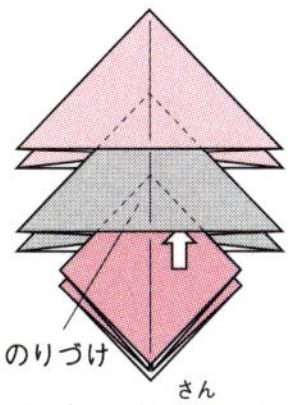

6 **3**でつくった三《さん》かくけいに、**5**をさしこむ

7 三《さん》かくけいを5こつなげて**できあがり**

くわがた

ふつう

● ななめに、はんぶんにきった おりがみでつくります

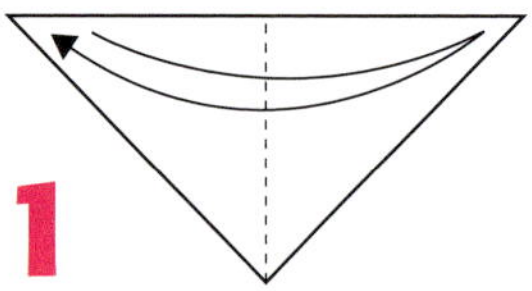

1

はんぶんにおって、もどす

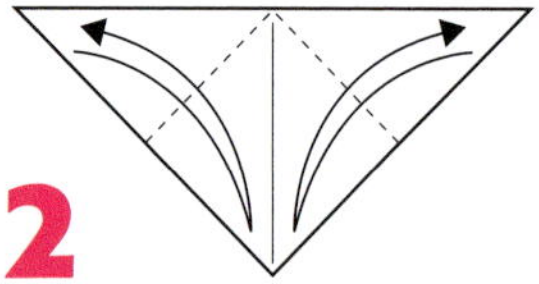

2

まんなかまでおって、もどす

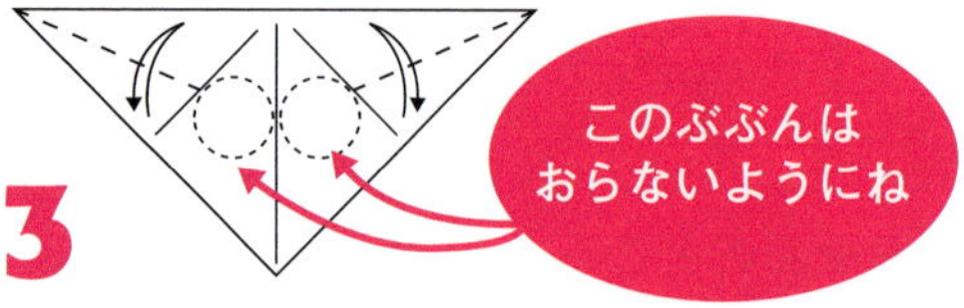
このぶぶんは
おらないようにね

3

まんなかまでおって、もどす

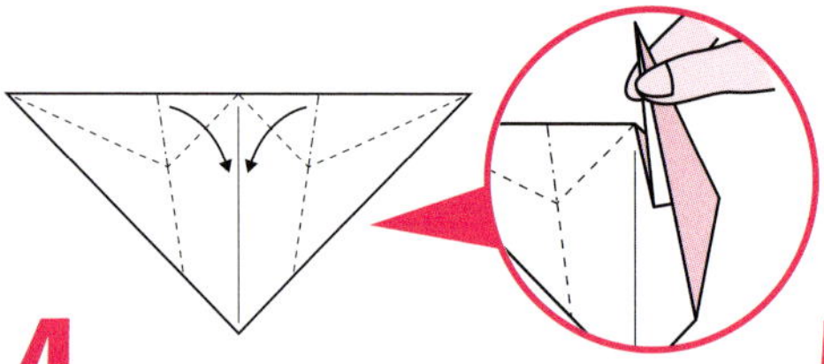

4

おりせんをつかってたたむ

たたんでいるところ

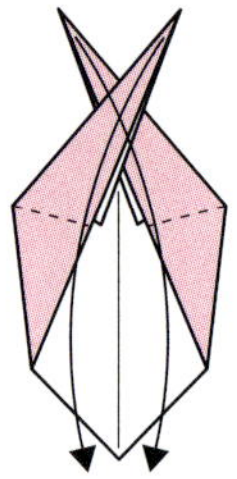

5

てんせんのところでおる

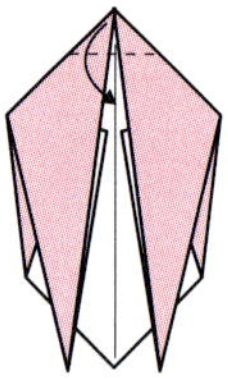

6

てんせんのところでおる

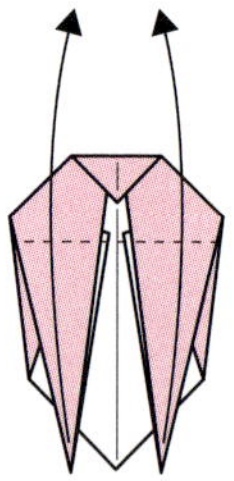

7

てんせんのところでおる

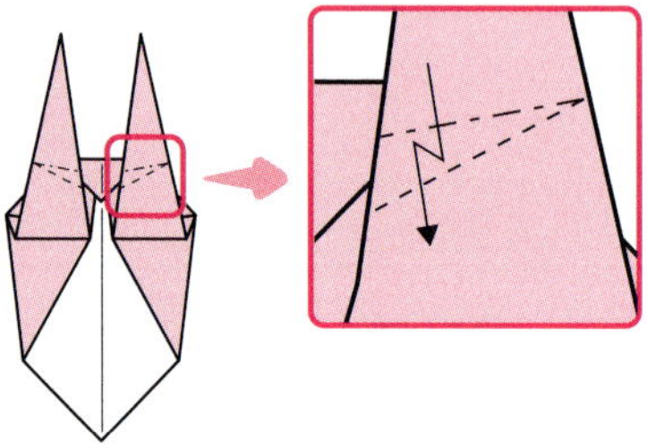

8

てんせんのところで、だんおりする

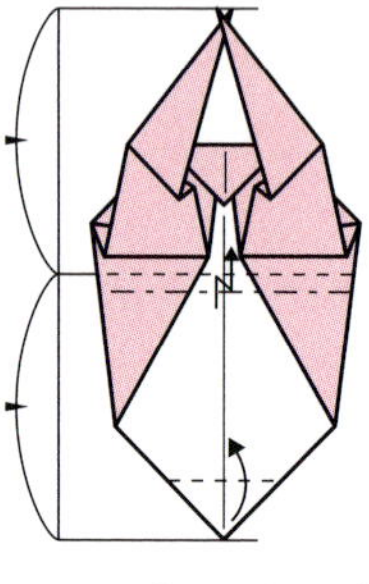

9

てんせんのところでそれぞれおって、かたちをととのえる

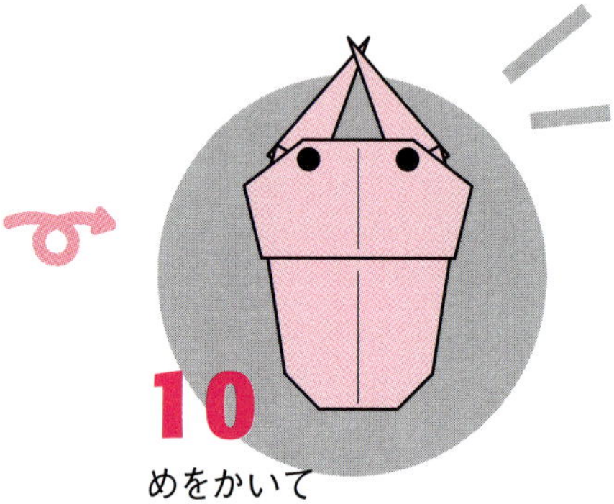

10

めをかいて

できあがり

エンゼルフィッシュ

ふつう
はさみ

●ななめに、はんぶんにきったおりがみでつくります

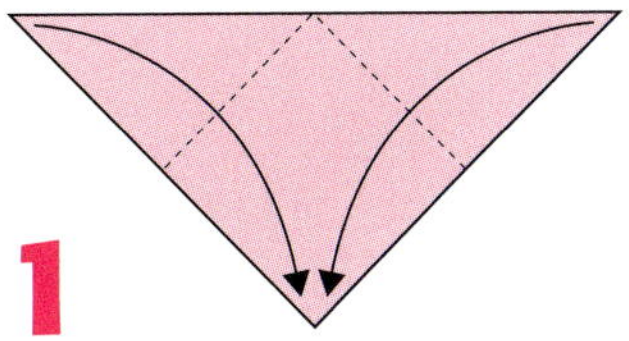

1

まんなかまでおる

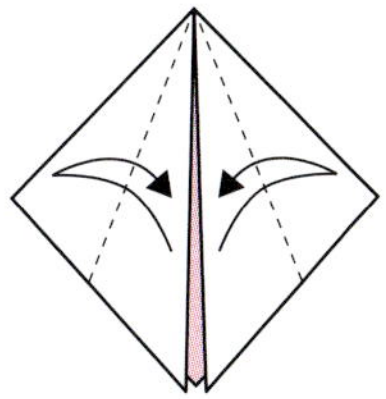

2

そとがわまでおって、もどす

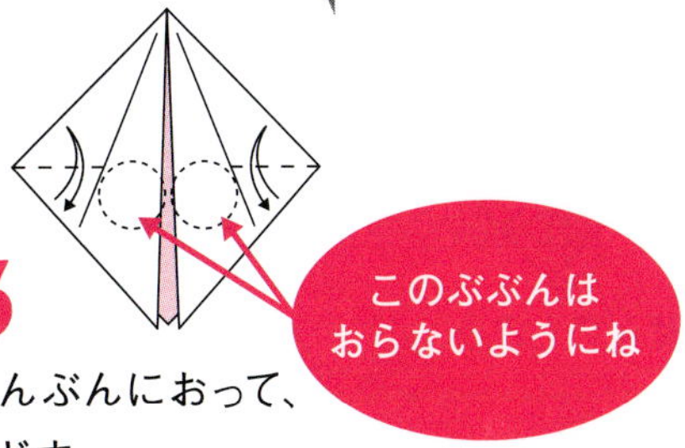
このぶぶんは
おらないようにね

3

はんぶんにおって、もどす

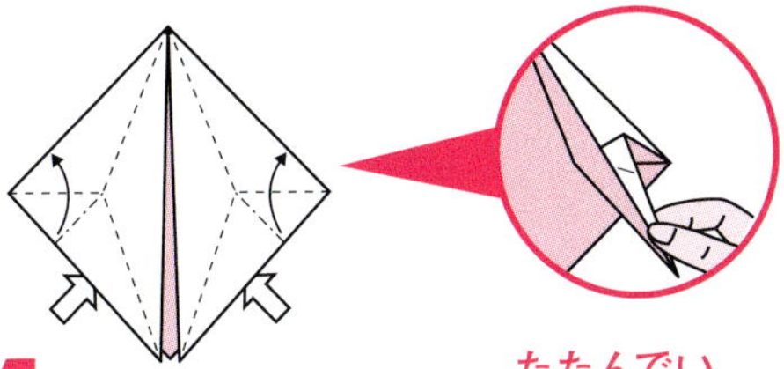

たたんでいるところ

4

おりせんをつかってたたむ

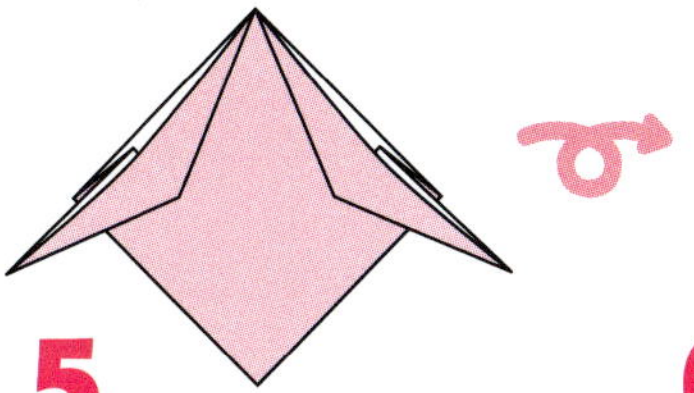

5

おったところ

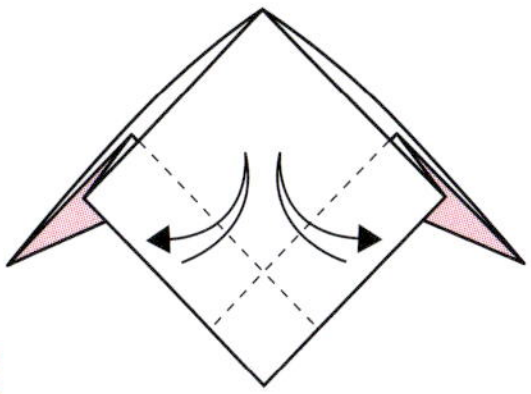

6

てんせんのところでおって、もどす

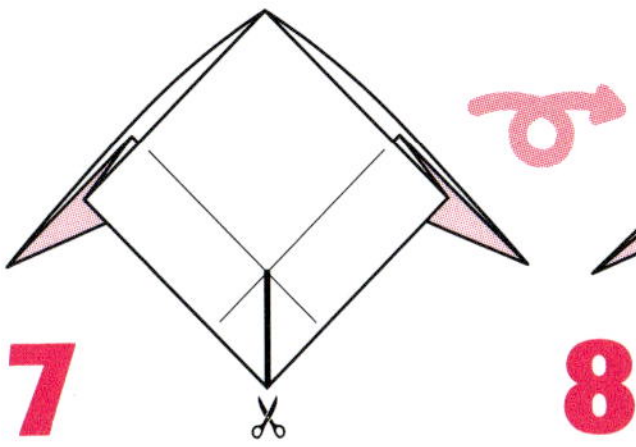

7

はさみできりこみをいれる

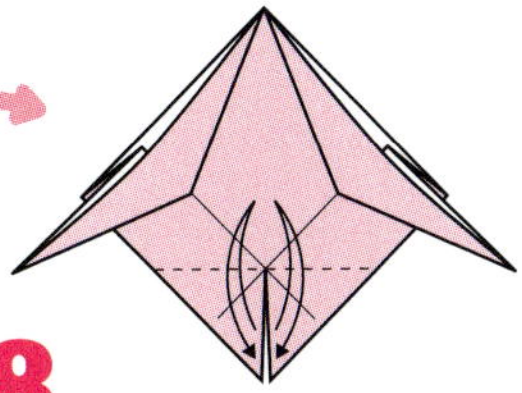

8

てんせんのところでおって、もどす

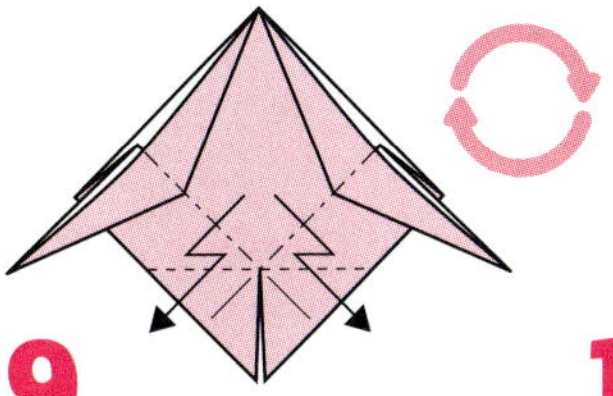

9

おりせんをつかってだんおりする

10

めをかいて

できあがり

原案　中島進

なつやすみのおりがみ

あざらし

むずかしい

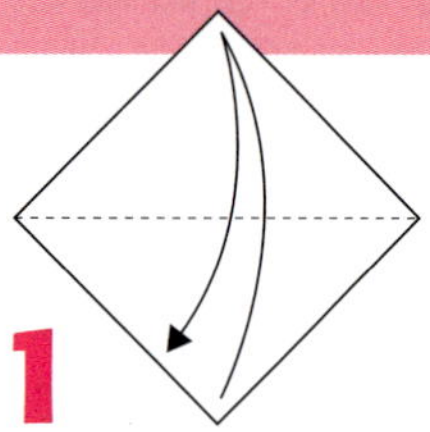

1

はんぶんにおって、
もどす

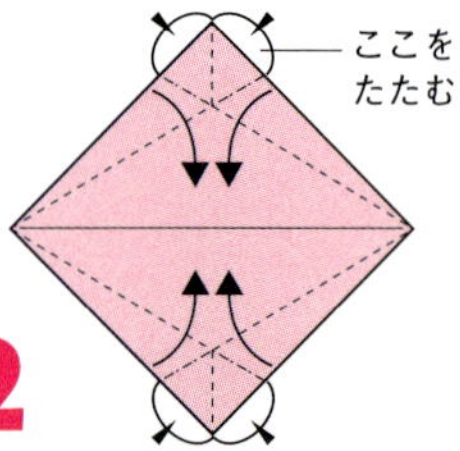

2

てんせんのところ
でおる

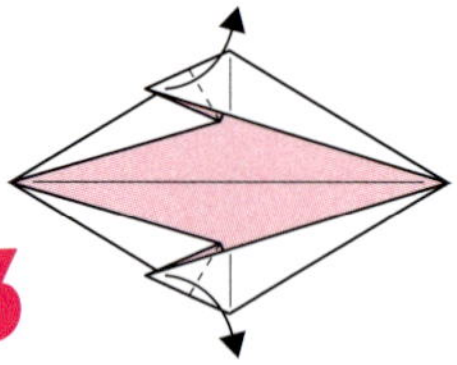

3

てんせんのところ
でおる

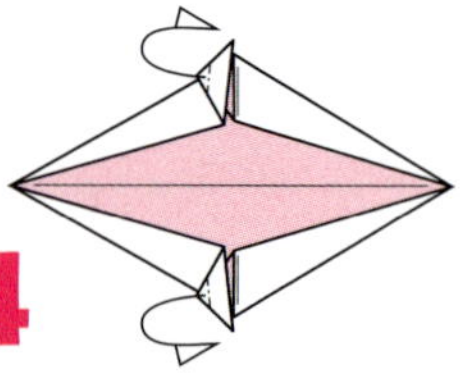

4

てんせんのところで、
やまおりする

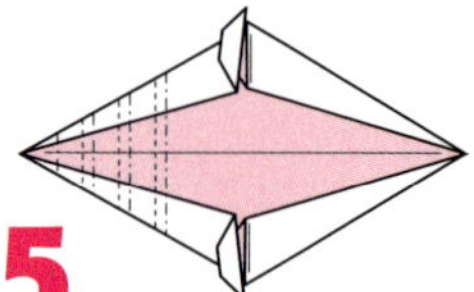

5

てんせんのところで、
だんおりする

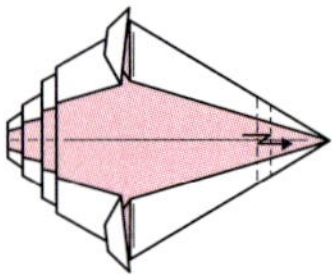

6

てんせんのところで、
だんおりする

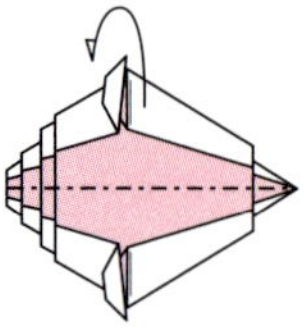

7

はんぶんにおる

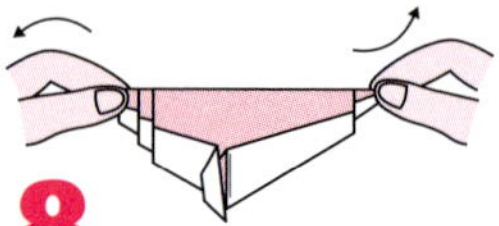

8

あたまを下《した》、しっぽを
上《うえ》にひっぱる

9

めをかいて
できあがり

クリスマスのおりがみ

クリスマスツリー

ふつう 　はさみ

- **木《き》(44ページ)の7から
はじめます**

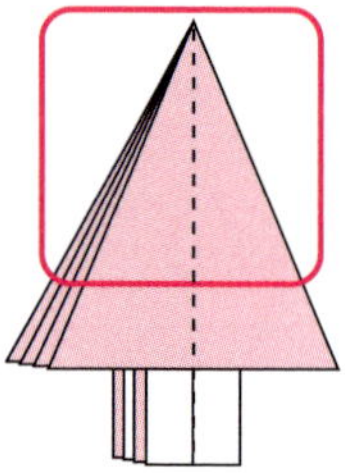

1

8まいを、3まいと
5まいにわける

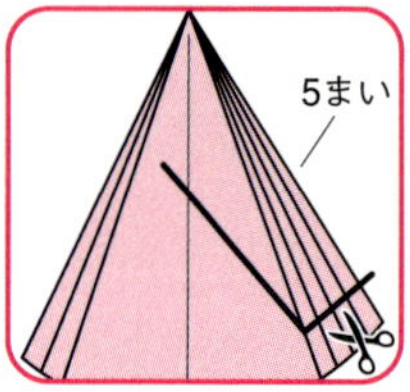

2

5まいのほうに、はさみで
きりこみをいれる

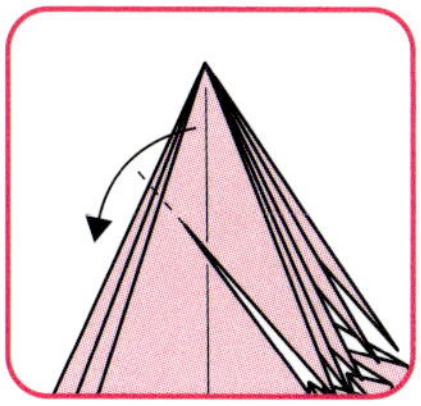

3

きりこみをいれたぶぶんをたたせる

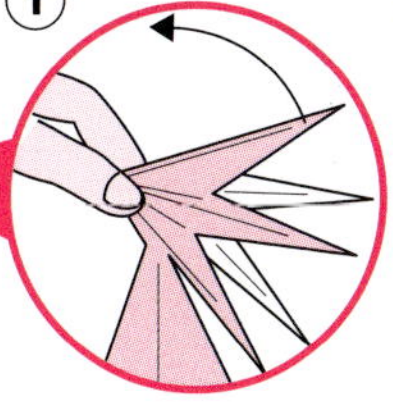

たたせているところ

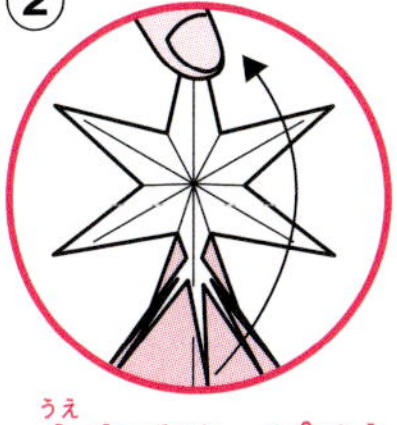

上《うえ》までひっぱるとほしがひろがる

4

できあがり

ク リスマスのおりがみ

クリスマスリース

かんたん

6まいのかみで

● ちょうほうけいのかみでつくります

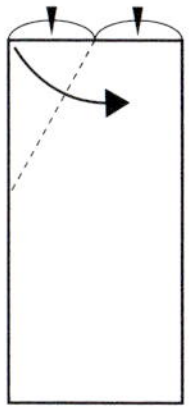

1

てんせんのところでおる

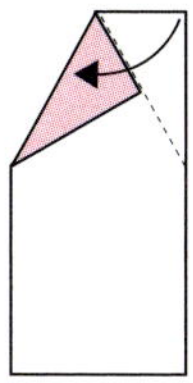

2

てんせんのところでおる

3

おったところ

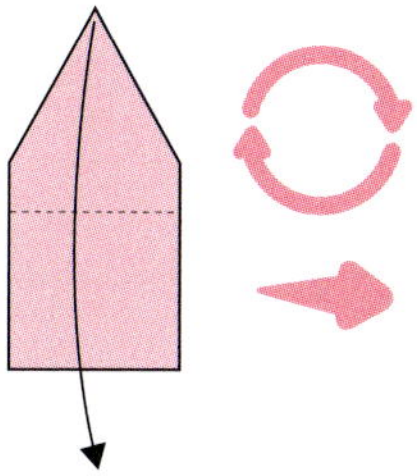

4

てんせんのところでおる

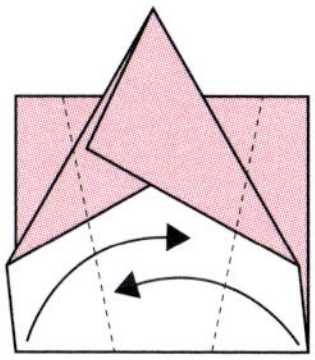

5

てんせんのところでおる

6

てんせんのところでおる

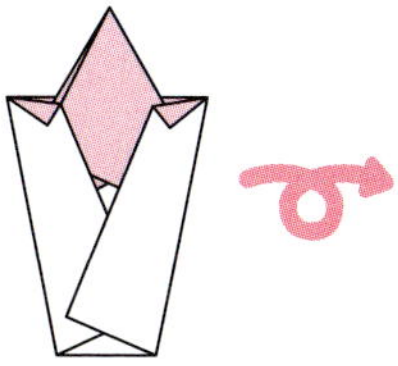

7

おったところ

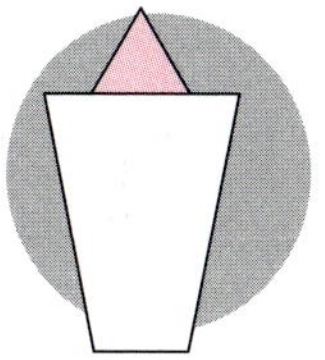

8

ろうそくのできあがり

9

ほしのかざり(45ページ)の上《うえ》にかさねる

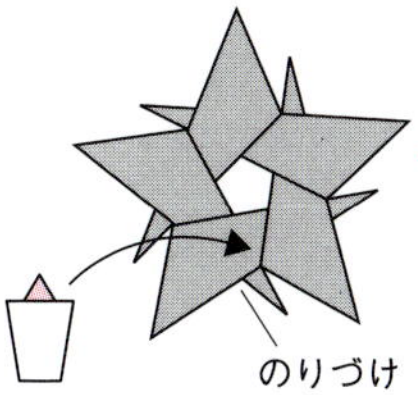

みどりや赤《あか》でつくると、きれいだよ

10

できあがり

さくいん

この本《ほん》にでてくるさくひんを、
「あいうえお」じゅんにならべたよ

著者

小林一夫　こばやし かずお

1941年東京都生まれ。NPO法人国際おりがみ協会理事長。お茶の水 おりがみ会館館長。創業1858年、和紙の老舗「ゆしまの小林」4代目。染色技術や折り紙など和紙にかかわる伝統技術・文化の普及に尽力。世界各地で折り紙の展示・講演活動を行っており、その活躍は雑誌、テレビなど多岐にわたる。

〈著書〉

『おかあさんといっしょ　3〜5才のおりがみ』(高橋書店)、『折り紙は泣いている』(愛育社)、『折紙の文化史』(里文出版)、『脳がぐんぐん育つ!おりがみ』(ポプラ社)など多数。

〈お茶の水 おりがみ会館〉

〒113−0034　東京都文京区湯島1-7-14

TEL：03-3811-4025(代)　FAX：03-3815-3348

https://www.origamikaikan.co.jp/

アートディレクション　大薮胤美(フレーズ)

デザイン　横地綾子(フレーズ)

イラスト　BOOSUKA

折り図イラスト　アドチアキ

スタイリング　小野寺祐子

写真　清水隆行、近藤美加、松林諒(Studio Be Face)

DTP　天龍社

編集協力　㈱童夢

作品制作・折り図指導　湯浅信江(おりがみ会館講師)

つくろう! あそぼう!

5〜7才のおりがみ

著　者　小林一夫

発行者　高橋秀雄

発行所　**株式会社 高橋書店**

〒170-6014 東京都豊島区東池袋3-1-1 サンシャイン60 14階

電話　03-5957-7103

ISBN978-4-471-12317-8　©KOBAYASHI Kazuo　Printed in Japan

本書の内容についてのご質問は「書名、質問事項(ページ、内容)、お客様のご連絡先」を明記のうえ、郵送、FAX、ホームページお問い合わせフォームから小社へお送りください。
回答にはお時間をいただく場合がございます。また、電話によるお問い合わせ、本書の内容を超えたご質問にはお答えできませんので、ご了承ください。本書に関する正誤等の情報は、小社ホームページもご参照ください。

【内容についての問い合わせ先】

書　面　〒170-6014 東京都豊島区東池袋3-1-1 サンシャイン60 14階　高橋書店編集部

FAX　03-5957-7079

メール　小社ホームページお問い合わせフォームから　(https://www.takahashishoten.co.jp/)

【不良品についての問い合わせ先】

ページの順序間違い・抜けなど物理的欠陥がございましたら、電話03-5957-7076へお問い合わせください。
ただし、古書店等で購入・入手された商品の交換には一切応じられません。